"十四五"国家重点出版物出版规划项目
青少年科学素养提升出版工程

中国青少年科学教育丛书
总主编　郭传杰　周德进

科学的背后

季良纲 编著

浙江教育出版社·杭州

图书在版编目（CIP）数据

科学的背后 / 季良纲编著. -- 杭州：浙江教育出版社，2022.10（2023.12 重印）
（中国青少年科学教育丛书）
ISBN 978-7-5722-3198-8

Ⅰ. ①科… Ⅱ. ①季… Ⅲ. ①科学知识－青少年读物 Ⅳ. ①Z228.2

中国版本图书馆CIP数据核字（2022）第036596号

中国青少年科学教育丛书
科学的背后
ZHONGGUO QINGSHAONIAN KEXUE JIAOYU CONGSHU
KEXUE DE BEIHOU

季良纲　编著

策　　划	周　俊	责任校对	陈阿倩
责任编辑	王晨儿　刘亦璇	营销编辑	滕建红
责任印务	曹雨辰	美术编辑	韩　波
封面设计	刘亦璇		

出版发行	浙江教育出版社（杭州市天目山路40号 邮编：310013）
图文制作	杭州兴邦电子印务有限公司
印　　刷	杭州富春印务有限公司
开　　本	710mm×1000mm　1/16
印　　张	12
字　　数	240 000
版　　次	2022年10月第1版
印　　次	2023年12月第2次印刷
标准书号	ISBN 978-7-5722-3198-8
定　　价	38.00元

如发现印、装质量问题，请与我社市场营销部联系调换。联系电话：0571-88909719

中国青少年科学教育丛书
编委会

总主编：郭传杰　周德进
副主编：李正福　周　俊　韩建民
编　委：（按姓氏笔画为序排列）
　　　　　马　强　沈　颖　张莉俊　季良纲
　　　　　郑青岳　赵宏洲　徐雁龙　龚　彤

总序

  高度重视科学教育，已成为当今社会发展的一大时代特征。对于把建成世界科技强国确定为21世纪中叶伟大目标的我国来说，大力加强科学教育，更是必然选择。

  科学教育本身即是时代的产物。早在19世纪中叶，自然科学较完整的学科体系刚刚建立，科学刚刚度过摇篮时期，英国著名博物学家、教育家赫胥黎就写过一本著作《科学与教育》。与其同时代的哲学家斯宾塞也论述过科学教育的重要价值，他认为科学学习过程能够促进孩子的个人认知水平发展，提升其记忆力、理解力和综合分析能力。

  严格来说，科学教育如何定义，并无统一说法。我认为科学教育的本质并不等同于社会上常说的学科教育、科技教育、科普教育，不等同于科学与教育，也不是以培养科学家为目的的教育。究其内涵，科学教育一般包括四个递进的层面：科学的技能、知识、方法论及价值观。但是，这四个层面并非同等重要，方法论是科学教育的核心要素，科学的价值观是科学教育期望达到的最高层面，而知识和技能在科学教育中主要起到传播载体的功用，并非主要目的。科学教育的主要目的是提高未来公民的科学素养，而不仅仅是让他们成为某种技能人才或科学家。这类似于基础教育阶段的语文、体育课程，其目的是提升孩子的人文素养、体能素养，而不是期望学生未来都成为作家、专业运动员。对科学教育特质的认知和理解，在很大程度上决定着科学教育的方法和质量。

科学教育是国家未来科技竞争力的根基。当今时代，经历了五次科技革命之后，科学技术对人类的影响无处不在、空前深刻，科学的发展对教育的影响也越来越大。以色列历史学家赫拉利在《人类简史》里写道：在人类的历史上，我们从来没有经历过今天这样的窘境——我们不清楚如今应该教给孩子什么知识，能帮助他们在二三十年后应对那时候的生活和工作。我们唯一可以做的事情，就是教会他们如何学习，如何创造新的知识。

在科学教育方面，美国在 20 世纪 50 年代就开始了布局。世纪之交以来，为应对科技革命的重大挑战，西方国家纷纷出台国家长期规划，采取自上而下的政策措施直接干预科学教育，推动科学教育改革。德国、英国、西班牙等近 20 个西方国家，分别制定了促进本国科学教育发展的战略和计划，其中英国通过《1988年教育改革法》，明确将科学、数学、英语并列为三大核心学科。

　　处在伟大复兴关键时期的中华民族，恰逢世界处于百年未有之大变局，全球化发展的大势正在遭受严重的干扰和破坏。我们必须用自己的原创，去实现从跟跑到并跑、领跑的历史性转变。要原创就得有敢于并善于原创的人才，当下我们在这方面与西方国家仍然有一段差距。有数据显示，我国高中生对所有科学科目的感兴趣程度都低于小学生和初中生，其中较小学生下降了9.1%；在具体的科目上，尤以物理学科为甚，下降达18.7%。2015年，国际学生评估项目（PISA）测试数据显示，我国15岁学生期望从事理工科相关职业的比例为16.8%，排全球第68位，科研意愿显著低于经济合作与发展组织（OECD）国家平均水平的24.5%，更低于美国的38.0%。若未来没有大批科技创新型人才，何谈到本世纪中叶建成世界科技强国！

　　从这个角度讲，加强青少年科学教育，就是对未来的最好投资。小学是科学兴趣、好奇心最浓厚的阶段，中学是高阶思维培养的黄金时期。中小学是学生个体创新素质养成的决定性阶段。要想30年后我国科技创新的大树枝繁叶茂，就必须扎扎实实地培育好当下的创新幼苗，做好基础教育阶段的科学教育工作。

发展科学教育，教育主管部门和学校应当负有责任，但不是全责。科学教育是有跨界特征的新事业，只靠教育家或科学家都做不好这件事。要把科学教育真正做起来并做好，必须依靠全社会的参与和体系化的布局，从战略规划、教育政策、资源配置、评价规范，到师资队伍、课程教材、基地建设等，形成完整的教育链，像打造共享经济那样，动员社会相关力量参与科学教育，跨界支援、协同合作。

正是秉持上述理念和态度，浙江教育出版社联手中国科学院科学传播局，组织国内科学家、科普作家以及重点中学的优秀教师团队，共同实施"青少年科学素养提升出版工程"。由科学家负责把握作品的科学性，中学教师负责把握作品同教学的相关性。作者团队在完成每部作品初稿后，均先在试点学校交由学生试读，再根据学生反馈，进一步修改、完善相关内容。

"青少年科学素养提升出版工程"以中小学生为读者对象，内容难度适中，拓展适度，满足学校课堂教学和学生课外阅读的双重需求，是介于中小学学科教材与科普读物之间的原创性科学教育读物。本出版工程基于大科学观编写，涵盖物理、化学、生物、地理、天文、数学、工程技术、科学史等领域，将科学方法、科学思想和科学精神融会于基础科学知识之中，旨在为青少年打开科学之窗，帮助青少年开阔知识视野，洞察科学内核，提升科学素养。

"青少年科学素养提升出版工程"由"中国青少年科学教育丛书"和"中国青少年科学探索丛书"构成。前者以小学生及初中生为主要读者群，兼及高中生，与教材的相关性比较高；后者以高中生为主要读者群，兼及初中生，内容强调探索性，更注重对学生科学探索精神的培养。

"青少年科学素养提升出版工程"的设计，可谓理念甚佳、用心良苦。但是，由于本出版工程具有一定的探索性质，且涉及跨界作者众多，因此实际质量与效果如何，还得由读者评判。衷心期待广大读者不吝指正，以期日臻完善。是为序。

2022 年 3 月

前言

我们生活在一个科学技术高度发达而信息又海量增长的时代,为了跟上发展的步伐,孩子们必须不断提高学习效率,尽可能在最短时间内掌握更多的知识和技能。我们的教科书力求由一个个正确的科学知识点组成,引导孩子们做正确的实验,得出正确的结论。这么做适应了快速学习的时代需求,但并不一定能为孩子们描绘出科学发展的整体图景。

因为,恰恰是一次次错误和一个个遗憾,才成就了今天科学的辉煌。如果我们把审视的目光投向距今2000多年前的古希腊,就会发现当时先贤们关于世界的解释——大到地球在宇宙中的位置,小到动植物如何繁衍后代,很多是错误的。当然这无损他们作为科学先行者的光辉形象。所有科学成就都是在不断试错的过程中得来的。即使在今天,情况依然如此,科学家们日常工作的不少时间都是在犯错,在错误中学习，在错误中调整，才能一步步接近真相。

这条道路上的艰辛，用艰苦卓绝来形容毫不为过。因为即使科学家们不懈努力，也不意味着必然会成功。科学史上发生过不少这样的遗憾事件，原因各不相同。

有时问题出在科学家自己身上，他们被思维定式困住而忽略了幸运女神的暗示，继而朝着错误方向越走越远，比如因为深信"燃素说"而与氧气的发现失之交臂的英国化学家普利斯特里。

有时是被学术圈的队友误伤。正确理论的提出需要天时、地利、人和，历史上曾经出现过多次因为理论太超前，而没有被学术共同体接受的遗憾。提出者往往在误解和嘲笑中郁郁而终，有的甚至还被送进了精神病院。比如为了降低妇女产褥热发病率，提出医护人员需先洗手再给产妇做检查的塞麦尔维斯，最后却被质疑他的同行逼疯，在维也纳精神病院遭殴打后因细菌感染得败血症而亡。

有时甚至是整个时代的科学发展被野蛮力量狠狠凌虐，科学只能在几百上千年中发出微弱之光，以待燎原之机。比如公元前48年，罗马将军恺撒的一把大火摧毁了当时世界上第一个也是藏书最多的综合性图书馆——亚历山大城图书馆。这大大拖慢了科学前进的步伐，直到12世纪，欧洲人才通过阿拉伯人的收藏翻译，将古希腊典籍又传回欧洲，进而推动了后来的文艺复兴运动。

可惜的是，我们的孩子对这些科学史上的遗憾事件知之甚少。要知道，科学从来没有脱离社会文化独立发展，科学的知识体系看似高深莫测，但是科学方法、科学思想乃至科学精神的形成和社会文化息息相关。古希腊的城邦制和自由民，极有可能为科学的起源做出了贡献；古埃及人深信死后转世，崇拜太阳神，催生了炼金术并孕育发展了近代化学；而17世纪英国科学、技术的显著发展则和当时的清教主义伦理观有着千丝万缕的联系。

我们只有了解了科学发展与社会文化的关系，尤其了解了科学发展过程中留下遗憾时的社会情境，才能知道如何规避曾经犯过的错误，如何正确引导社会大众，尤其是孩子们对科学的看法，如何为科学人才的培养提供合适的土壤，如何让科学精神更广泛而深入地渗透到社会生活的方方面面……

而这些正是本书的初衷。

目录

● **第 1 章　科学的那些事儿**

— 科学从哪里来？　　　　　　　　　003
— 一份迟到的道歉　　　　　　　　　007
— 从"格致"到科学花开　　　　　　010
— 科技改变未来　　　　　　　　　　015

● **第 2 章　大自然是最好的老师**

— 是谁发明了锯子？　　　　　　　　023
— 海豚与片流膜　　　　　　　　　　025
— 奥运冠军的"鲨鱼皮"　　　　　　028
— 让梦想插上翅膀　　　　　　　　　030
— 捕捉发明的灵感　　　　　　　　　033

- 第 3 章　从深思到顿悟的飞跃
  - 神秘的大脑思维　041
  - 苹果落地与引力　043
  - "尤里卡，尤里卡"　047
  - 梦想可以成真　050

- 第 4 章　失败垒实成功路
  - 挫折也是宝贵财富　057
  - 不甘失败的爱迪生　059
  - 万户飞天的梦想　063
  - 宽容是科学进步的沃土　066

- 第 5 章　站在巨人的肩膀上
  - 科学是一场接力赛　073
  - 科研是合作精神的体现　076
  - 电影诞生的启示　079
  - 科学需要严格的验证　085

第 6 章　好奇是创新的不竭源泉

- 拥有强烈的好奇心　091
- 化学家发现了色盲　093
- 留下"遗憾"的发明　097
- 触发创新的灵感　102

第 7 章　科学史上的"无心插柳"

- 紫罗兰的神秘色变　109
- 发明效用转了弯　113
- "失误"带来的新发明　116

第 8 章　破译发明的密码

- 监狱里的科学研究　125
- 神奇的发明术　130
- 授人以鱼或渔　133

第9章 发明"错"了的东西

- 杀人武器与军事科研　　　　139
- 救命药成了生物杀手　　　　145
- 令人爱恨交加的塑料袋　　　149
- 艰难的"禁塑"战争　　　　　153

第10章 科学与人文比翼齐飞

- 大力弘扬科学精神　　　　　161
- 科学与人文相结合　　　　　163
- 建设新时期科学文化　　　　167
- 让科学回归理性　　　　　　170

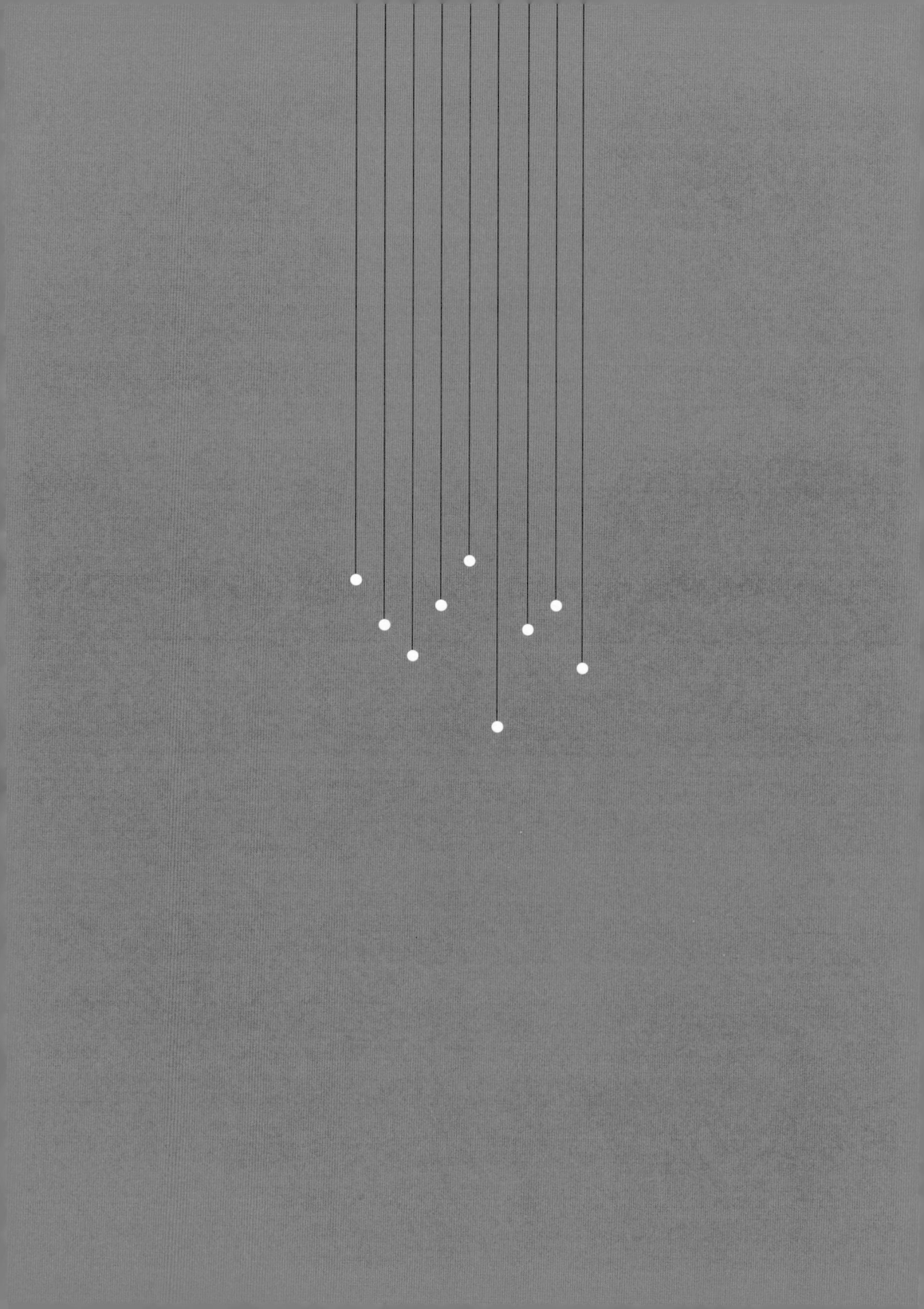

第 1 章

科学的那些事儿

人们经常可以从报纸、电视上看到或听到这样的说法：科技改变世界，科技改变生活，甚至改变人类文明的进程。当下，人们生活在科技发达的时代，科技影响力无处不在。环视周边，你可以发现，吃喝玩乐，衣食住行，教育医疗，养老旅游，所见所闻，所作所为，桩桩件件的背后，都离不开科技的强力支撑，都可以找到科技进步的影子。科技发明创造，让人类生活更加便捷、更加舒适、更加美好。

你了解科学吗？回答肯定是多种多样的。说起科学与技术，同学们可能不会太陌生，从读小学开始，就有科学课程，如数理化，还有技术课、科技活动等，不少同学谈理想与未来时，也经常会说长大了要当科学家。那么，什么是科学呢？它是从哪里来，又是如何发展的呢？中国的科学进程又是如何呢？想要解开这些疑惑，我们就来一起聊聊科学的那些事儿。

科学从哪里来？

说到科学的起源，就要提到古希腊，这个位于欧洲南部、地中海沿岸的文明古国。早在公元前3500多年，这一带的克里特岛、迈锡尼，就诞生了先进的文明。这里虽然山地居多，土地缺少，但是浩瀚的地中海，曲折的海岸线，岛屿相连，港湾众多，气候温和宜人，成就了得天独厚的资源，孕育了独特的民族个性。希腊人从事海外贸易，进行海外殖民活动。这些都直接或间接地促成了宽松自由的社会环境，互利互惠的平等思想，崇尚自然万物的特质，慢慢地形成了一种完全不同于农耕文明的独特的文明模式。

古希腊有众多神话传说，却十分推崇"人"，肯定人的平等地

图1-1　古希腊遗迹

位，人可与神和平相处，而不是匍匐在神的脚下。古希腊人积极探索自然，认为知识高于信仰。城邦高度发达，公民积极参与社会管理。除了在巨大的神庙进行神灵祭祀之外，还举办大型体育运动比赛。可以这么说，在今天世界上的大多数国家形式还没有形成的时候，古希腊人已经自由地选出了城邦的执政官，并进行着公平的大型体育比赛了！

言归正传，随着希腊取得与波斯人战争的胜利，斯巴达、雅典等城邦迅速崛起，公元前500—300年，出现了一个伟大的文明高峰，出现一大批对后世产生巨大影响的伟人，如苏格拉底、柏拉图、亚里士多德等。这些人博学多识，长于思考，他们创办学园，边散步边探讨，所探究的话题涉及人与宇宙、自然的关系，人的自身价值等知识。这些纯理论的研究、推理，与实际生活无直接关系，称为无功利、纯粹的理性研究，从内容到形式，从辩论方法到研究目的，不同于一般的对自然现象的简单观察，而是着力探讨隐含其背后的合理性，即"真理"。在这里诞生了被后世称为"科学"的知识，并形成了一整套进行推理、论证、逻辑演

图 1-2　苏格拉底、柏拉图、亚里士多德雕像

绎的思维方法。

在 11 世纪，出现了一场大翻译运动，阿拉伯学者在巴格达等城市将古希腊的经典学术思想著作等翻译作品介绍到欧洲各地。基督教文化与希腊文化开始融合，形成了一种全新的"经院哲学"，人们在教会设立的经院里学习知识。教会主导的经院哲学，引入了亚里士多德等人的思想，用来证明上帝的完美与正确。但是，随着新兴的市民阶层形成，生产力进一步发展，通过战争、贸易等活动，人们对外部世界有了全新认识，产生了与传统经院哲学观点截然不同的结论。

地中海沿岸的佛罗伦萨、威尼斯等地，逐渐成为了这场思想运动的策源地，一场复兴古希腊和罗马文化的思想文化运动悄然开始，掀开了欧洲文艺复兴运动的序幕。教会僧侣出身的哥白尼，通过长期学习思考和天文观察，发现了一个惊天秘密：地球不是宇宙的中心，日月星辰不是围绕着"上帝创造的中心"转动的，而是围绕着太阳转动。1513 年，他撰写《天体运行论》，提出了著名的"日心说"。这是一个石破天惊的重大事件，是人类思想史上一次颠覆性突破。当时的欧洲社会，把《圣经》奉为至高无上的真理所在，

图 1-3　哥白尼

认为《圣经》即人们的精神核心，上帝就是正确的代表，一切活动都要服从于上帝，服务于宗教。如果有与《圣经》相悖的观点，对上帝的正确与完美表示怀疑，就是离经叛道的"异端"。哥白尼的"日心说"，否定上帝的"完美"安排，招致了宗教保守势力的围追堵截。直到古稀之年，他才敢将这本书出版，在去世前几天才收到样书。而勇敢的布鲁诺坚持传播"日心说"，甚至比哥白尼走得更远，大胆地预言在别的行星上也有生物，有像人一样有智慧、会思索，按照理性生活的物种。他的天才思想与行为震惊了教会，他被迫四处逃亡，最终被骗回罗马，作为"异端"受到审判，于1600年被活活烧死在罗马百花广场上。

科学在与神权的斗争中发展起来，历程并不是一帆风顺的，甚至还充满了危险，但是智慧的大门一旦被打开，就再也不会被关上。这一场从欧洲开启的科学革命，带来了人类思想的大解放，引导着人类进入了科学时代。此后，科学发现与技术进步密切结合，迅速成为改变世界的巨大力量。到了18世纪60年代，随着英国工业革命兴起，珍妮纺织机、瓦特改良的蒸汽机等机器的出现，让生产力得到极大提高，科技成为影响文明进程的极为重要的一股力量。

第 1 章
科学的那些事儿

一份迟到的道歉

图 1-4 伽利略

1979 年 11 月 10 日,梵蒂冈教皇保罗二世为著名物理学家伽利略公开平反昭雪,宣布罗马教廷 300 多年前对他的迫害与审判是"严重的错误"。教廷承认了伽利略当年的主张:宗教不应该干预科学。人们一定十分好奇,至高无上的罗马教皇为什么会向一个科学家道歉?这个道歉为什么迟到了 300 年?

这个让罗马教廷认错的伽利略,本身就是一个传奇。1564 年 2 月 15 日,伽利略出生在意大利比萨,他是物理学家,也是数学家、天文学家、哲学家。他从小对科学充满兴趣,积极投身于科学研究之中,有许多重要的科学发现和发明创造。

1583 年的一天,他正在教堂避雨,外面狂风大作,头顶上的吊灯在风中左右摇摆,有规律地在空中划着弧线。他觉得很好奇,后来深入仔细地观察研究后,发现了摆的等时性特点。人们根据摆的等时性制作了摆钟,成为实用的计时工具,并一直沿用至今。

当时,人们通过磨制玻璃片,发现了凸透镜折射聚焦的特点,制成了一种儿童玩具在市场买卖。伽利略从中受到启发,精心计算设计，亲自磨制了大大小小的镜片，改进并制作了世界上第一台望远镜。他用这个科学仪器，对准了遥远的月球，第一次清楚地看到了月球的真实面目，辨别出那些大大小小的陨石坑。

最让他出名的，是在比萨斜塔上做自由落体运动的实验，虽然科学史上对此还有争议，但人们深信不疑。1590年，伽利略在众人围观下，从高高的比萨斜塔上，推下两个大小不一、重量不同的铁球，让所有人意想不到的是，两个铁球是同时落到地面的。这一实验，证明了亚里士多德"物体下落速度和重量成正比"的说法是不正确的，纠正了持续1900年之久的错误结论。这一实验结论，也为牛顿发现万有引力、为建立近代物理中的力学理论体系奠定了基础。正因为伽利略在科学史上的巨大贡献，他被誉为"科学之父"，是科学发展史上划时代的人物。现代物理学家史蒂芬·霍金说："自然科学的诞生要归功于伽利略，他在这方面的功劳大概无人能及。"

伽利略传奇的一生，是坚持科学实证精神、与神学进行不懈斗争的过程，彰显了人类自觉成长、摆脱神学束缚的过程。通过进行长期天文观测，他写了《关于两种世界体系的对话》一书，以实验数据与科学结论为依据，认为托勒密"地心说"是错误的，亚里士多德的许多观点也是站不住脚的。这本书，被称为传播"日心说"最有影响力的科普读物。正因如此，伽利略的行为与主张，受到了罗马宗教势力的严厉迫害，但是，他并没有因此屈服，在双目完全失明的情况下，依然坚持科学的思考与写作。

1638年，《关于两门新科学的对谈》一书正式出版，这是对物理学研究的系统总结，成为现代物理的经典之作。这一份迟来的道歉，宣告了科学的最终胜利，也印证了伽利略的伟大人格。宇宙飞船在太空飞行，人类足印深深地留在月球，人造卫星飞向星空，宇宙探测器飞出太阳系，所有这些现代科学技术的进步，都彰显着伽利略的胜利、科学的胜利！

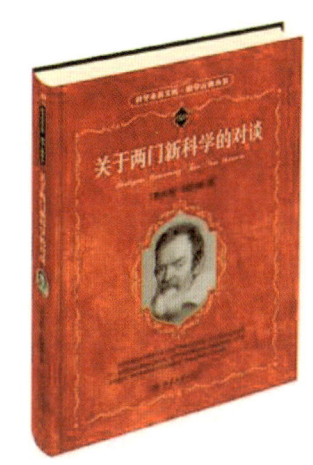

图1-5 《关于两门新科学的对谈》

在伽利略生活的时代，欧洲新兴的资产阶级对神权至上的世界有着极大的不满，社会矛盾激烈。资本主义萌芽最早的意大利，出现了文艺复兴运动，并迅速席卷整个欧洲大陆，成为一场声势浩大的思想启蒙运动。这场形式上提倡复兴古希腊、罗马时代文化的文艺运动，实质上是一次确立人本主义、摆脱宗教神学束缚的思想运动。借助科学发现和技术进步，掌握自然规律，合理利用自然，为人类造福的观念开始深入人心。

到了16世纪中叶，资产阶级革命为近代自然科学的诞生和发展提供了丰厚的社会条件。1543年，哥白尼《天体运行论》出版，宣告了近代自然科学的诞生。维萨留斯的《人体的构造》、哈维的《心血运动论》，以及伽利略物理学新作的问世、牛顿经典力学体系的建立，标志着近代自然科学体系的正式建立。

科学的背后

从"格致"到科学花开

经历发展演变的西方科学,与传统中国科学有什么不同呢?西方近现代的科学技术又是如何传入中国的呢?

英国科技史家李约瑟对中国几千年科技发展的历程进行了详细研究,撰写了总共15卷的《中国科学技术史》一书。他发现古代中国有许多发明创造对世界文明产生了巨大影响,如火药、指南针、造纸术、印刷术等,此外,还有大量处于领先地位的技术、工程等,数量达80多项。他为此提出了一个令人深思的问题:中国古代有先进的工程技术成就,为什么近代科学却没有在中国诞生呢?

图 1-6 司南

这就是著名的"李约瑟之问",引起人们的广泛关注。许多人试图进行解答,寻找其中的原因。有的认为是科举制度导致了创新能力下降,有的认为是长期封建社会制度所致,有的认为是农业文明发达,劳动力资源丰富,缺乏创新发展的动力等。众说纷纭,却难以真正解答这一个世纪之问。

古希腊有柏拉图、亚里士多德等巨匠,他们生活的年代,正相当于我国春秋战国时期,这一时期中国也出现了老子、孔子、庄子、墨子等大批思想家、哲学家、教育家。东西方伟大的智者们在同时思考人类的未来。

中国诸子百家争鸣的焦点,在于安邦治国,解决人与人、人与社会的关系问题;古希腊哲学家所关注的,是人与自然的关系,是思考人的自身价值。东西方文化从一开始就走上了不同的道路,

图 1-7 拉斐尔的名作《雅典学院》

科学的背后

呈现出不同的特质。而关注自然，研究自然，自由地探讨未知的世界，探讨自然万物真理的优良传统、理性思维、求证态度、逻辑方法等，形成了独特的科学文化，成为当时西方对抗宗教文化的人文精神内核，受到了知识界的广泛认可，与正在掀起的欧洲工业革命共振，实现了科学思想与技术革命的完美结合。

中国传统文化也有关于自然观察的知识，研究目的则比较功利，讲求统治性。如对星象天文的观察研究，是为了证明"天人感应"，为统治者寻找"合法性"依据；东晋时期，葛洪等人推崇炼丹，是为帮助皇帝寻找长生不老药，并没有孕育出近代的化学，而使用试错法发明的各种瓷器、工具、仪器等，一般出于工匠个人的实践经验，具有很大的偶然性，也缺乏完整的实验过程记录，难以实现重复验证，极易陷入"发明—失传—再发明"的怪圈。

近代科学首次传入中国，大约在明朝万历年间。罗马天主教会为了在东方传播"福音"，派遣出一批又一批虔诚的传教士，产

图 1-8　中国古代科学发展

生了西学东渐的一次高潮。

1582年，意大利传教士利玛窦来到中国，展开了一段传播宗教与科学的历程。为吸引中国人的目光，消除文化隔阂，他改穿上汉人的服饰，学习中文，结交中国学者，公开举办展览，展示钟表、三棱镜、地图等。他甚至思虑周全地改变了世界地图的面貌，把中国放在地图中央，迎合"中央帝国"的传统观点。

在传教士们不懈的努力下，明代部分思想开通的知识分子、官吏开始接触西学，对来自西方的天文、历法、数学、化学等进行学习研究。其中做得最成功的，是徐光启，他成为最早在中国系统地介绍西方自然科学知识的学者。1607年，他与利玛窦合作，翻译出版了欧几里得《几何原本》六卷。这也是我国最早一部自

图1-9　利玛窦（左一）与徐光启

拉丁文翻译而来的数学著作。明朝灭亡后，清朝统治者曾对外国传教者很感兴趣，这些带着新奇物件的洋人，一度成为皇帝的座上宾，受到极高的礼遇。1622年来华传教的德国人汤若望，因为精通天文学，被顺治帝称作"通玄教师"。比利时人南怀仁则长期在朝廷任职，与康熙皇帝交好，死后被封谥为"勤敏"。这些西方人，在从事教义传播的同时，巧合地成为了第一批向中国公众传播科学的使者。

汉语中"科学"一词大约有"科举之学"的原义。《说文解字》："科，程也。从禾从斗。斗者，量也。"该字有"区分""程度""类别"之意，有"测量之学问"的意思。汉语中与现代意义的"科学"一词关系最密切的，应该是"格物"一词。《礼记·大学》："致知在格物，物格而后知至。"意思是说，获得知识的途径，在于认识和研究万事万物，如此才能获得知识。明清以来，一般用"格物致知"，表示研究自然之物的学问。近代启蒙思想家、翻译家、教育家严复《原强》："二百年来，西洋自测算格物之学大行，制作之精，实为亘古所未有。"哲学家熊十力《原儒》："假定万殊之物界为实在，而分门别类穷其理者，是为格物学之观点。"近代以来，人们为科学类书籍命名时，往往也采用"格致"或"格物"等词。1874年，中国化学家徐寿、英国的傅兰雅等人在上海筹建"格致书院"，编印《格致汇编》，专门翻译介绍化学知识。中国传统的"格物"之学，遇见了欧洲的新兴之学后，发生了激烈的"化学"反应。

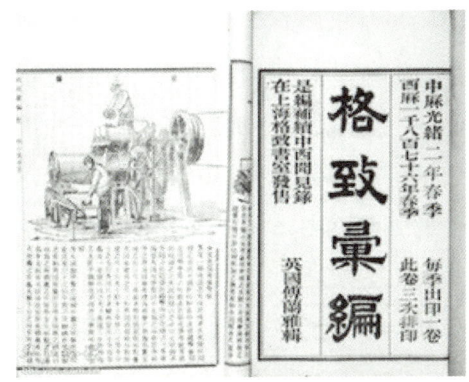

图 1-10 《格致汇编》

"科学"一词,最早是出自日本思想家西周对英文"science"的翻译,包涵了知识、学问的意思。1897年,清末政治家、教育家康有为在《日本书目志》中列举了《科学入门》《科学之原理》等,最先将"科学"一词引入中国,随后开始通行于世。

从此,美丽的科学之花,开始在东方古老的土地上落地生根、盛开绽放!

科技改变未来

作为四大文明古国之一,中国有延续几千年的完整而成熟的政治制度,有独特的社会伦理观念,在天文、农业、水利、船舶、桥梁、造纸、印刷等与生产、生活密切相关的领域,为世界文明做出过重大贡献。科学的思想传入东方时,正值明末清初,中华大地民族矛盾激化,军事征战频繁,获得政权的清王朝,奉行海禁等闭关锁国政策,对科技发展带来的巨大变革缺乏了解,沉溺于"东方帝国"的美梦之中,失去了追赶世界科技发展潮流的最佳机会。

康熙皇帝曾用心学习西方文化,对西方科学技术颇有兴趣,邀请西方传教士讲学,内容涉及天文学、数学、地理学、动物学、解剖学、音乐,甚至还有哲学。康熙皇帝所学的天文学书籍就有100多本。在1670年至1682年间,他曾经连续两年零五个月不间断学习西学,算得上一个真正的西学迷。但是,他只是满足了个人喜好,成了一个受人尊敬、博览群书的皇帝而已。这与一样向往西学的俄国彼得大帝很不相同,这位年轻的沙皇曾乔装打扮到荷兰等地,学习造船技术,打开了眼界,回国后就开始大规模改革,封建落后的俄国从此步入强国行列。另一件事,也很典型。1708年,清政府组织外国传教士们对大清国进行大规模的测量,花了10多年时间,采用先进的测绘技术,采集了大量测量数据,绘制了科学水平空前的《皇舆全览图》,走在了世界前列。令人惋惜的是,这一重大科学成果,只作为密件收藏在内府深宫,没有对社会经济发展起到任何作用,相反的,参加测绘的传教士们,把测绘资料带回了西方,进行科学研究,整理发表了一系列科研成果,使西方在相当长一段时期内对中国地理的了解超过了国人。

科学技术必须同社会发展相结合,学得再多,束之高阁,只

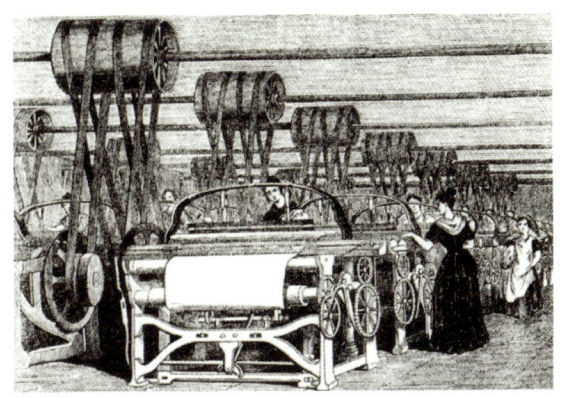

图 1-11 工业革命时期的纺纱机

是一种雅兴,一种奇技,那就不可能对现实社会产生作用。近代科学没有在中国诞生,答案可能正在这里。

19世纪中叶,西方列强完成第一次工业革命后,迫不及待地扑向世界各地,疯狂抢夺殖民地和财富。地域广袤、人口众多、经济落后的亚洲、非洲、美洲,是列强弱肉强食的最佳场所。1840年,第一次鸦片战争爆发,面对西方列强,腐朽落后的清王朝进入了失败再失败的轮回,古老的东方之国一步步陷入了被瓜分的境地,沦为了半殖民地半封建社会。

近现代开始,一批批有识之士,开眼看世界,在清末掀起了轰轰烈烈的洋务运动。他们采取了兴办工厂、创办学校、派遣留学生等举措,让中国开始全面接触西方社会,寻找落后根源。在20世纪初掀起的新文化运动中,陈独秀提出了"德先生""赛先生"的口号,倡导"教育救国""科学救国",一批知识分子投身其中,创办学术团体,开展科普教育,开启了用科学改造社会的伟大行动。

当下，人们习惯将科学与技术联系起来理解，其实两者既有密切联系，也有显著的区别。法国学者狄德罗在《百科全书》中说，技术是为某一目的共同协作组成的各种工具和规则体系。技术发展与人类文明发展进程相一致，技术是人们在长期劳动中对知识和智慧的总结，完全符合科学的基本原理。技术进步主要体现在技术升级换代上，实用可行的效果上，而科学所倡导的思想、精神、方法等，则根植在人们的思维之中，对人们的思想、行为、观点、看法等有着重要的影响。

随着科学的发展，人们对于科学、技术的理解更加深刻，两者结合与创新，产生了许多新知识、新理论、新技术。如20世纪初诞生的相对论、核裂变等科学理论，直接催生了原子弹、核电站，以及农业、医疗、军事等方面的新技术，科学理论的指导与引领作用日益强大。科学转化为生产力的过程，是科学理论的物化和应用过程，技术进步成为其中的关键因素。在科学与技术的关系中，技术是科学的延伸，而科学是技术的升华，两者相辅相成，紧密结合，成为人类认识世界、改变世界的强大工具。

新中国成立以后，党和国家提出了"向科学进军"的号召，大力推进科学技术进步，诞生了原子弹、氢弹、南京长江大桥、"东方红一号"等重大科技成就。1978年改革开放，迎来"科学的春天"。"科学技术是第一生产力"的理念在1988年被提出后迅速深入人心。相信科学，依靠科技，国家科技实力大为增强，成为实现中华民族伟大复兴，实现"中国梦"的强大引擎。

2016年5月，习近平总书记在全国科技创新大会、两院院士大会、中国科协"九大"会议上提出建设"世界科技强国"的目标，昭示着科技发展的美好未来。在科学光芒照耀下，东方大国必将焕发出更耀眼的光彩。

1. 中国古代科学这么发达，为什么近代科学诞生在欧洲？你能说出影响科学发展的一两个事件吗？
2. 伽利略为科学而献身，到底是为了什么？

第 2 章

大自然是最好的老师

在地球这个独特的星球上，有着丰富的生物种类，充满生机。飞禽走兽，花草树木，昆虫菌类，它们的生活方式、习性、种类、颜色是如此不同，富有鲜明的个性，色彩斑斓，形状奇特，或静或动，或长或短，或快或缓，或巨或微，在几十亿年的演化中，各自进化出了适应生存环境的各种非凡本领，蕴藏着数不清的奥秘，有的甚至达到令人难以置信的地步。

人类作为大自然的一分子，从自然万物中脱颖而出，成为最独特的一个种群。人类拥有了非凡的大脑，能够制造工具，运用语言交流，拥有社会组织，开展丰富多彩的社会活动，成为地球上进化最为成功的物种之一。人类借助特有的智慧和学习能力，与自然万物和谐相处，巧妙应对自然变化，提高着生存和创造能力。更为重要的是，人类处处以自然为师，向自然万物学习，不断获得创造的灵感，促进了自身发展与社会进步。这样的案例，从古至今都在发生，而在科技高度发达的今天，人们向自然学习的态度更加明确，积极性更高，科学家通过观察和研究动物、植物等，发现其中隐藏的秘密，研究出许多新成果，开发出许多新产品。今天，"以自然为师"这个话题，依然有着无穷魅力。

是谁发明了锯子?

大家试想一下,要切断一段木头之类的硬物,除了用刀、斧、剑以外,也许还需要用到锯子这类工具。在中国,关于锯子的发明,一直有一种说法:鲁班善于向自然学习,从大自然中获得了发明锯子的灵感。

鲁班是春秋时期的鲁国人,姬姓,公输氏,名班,也叫公输般或公输盘。据说他出身于工匠之家,擅长制作许多木制。不仅如此,他

图 2-1 鲁班

还是发明家,在劳动实践中,发明了锯子、斧子、曲尺、墨斗等。中国人一直称其为"木匠之祖"。

春秋时期,社会生产力低下,能够用于生产的铁制工具种类有限。要把树木加工成既平又光滑的木板,或者用刀、斧等截断进行加工,质量肯定粗糙,效率也不会很高。作为木匠师傅的鲁班,为此烦恼不已。他是一个特别爱动脑筋的人,总是能找到最好的解决办法。一次,他与徒弟们进山砍伐树木,花了大量的气力,进度总是不够快。他正想着如何能找到办法,一不小心就摔倒了,顺手抓住一把野草,不料手却被划破了,鲜血直流。看着

手上一道不浅的血痕。他陷入了深思，手怎么这么容易就被割破了呢？野草这么柔软，怎么会有这种力量呢？他顺手摘下那丛叶片，仔细看了看，发现叶子的两边长着锋利的小齿，手就是被这些小齿划破的。他猛然一想，如果有一个像这样带着齿状的工具，切割树木不就很容易了吗？他觉得这是一个好办法，便马上付诸行动，模仿着叶片的样子，制作了一把锋利的锯子，用来切割木头，果然能大大提高效率。

这个故事的真实性无从考证，也许只是一个传说，或者是出于对鲁班的尊敬，将锯子这样一件木匠工具的"发明专利"给了他。因为在我国各地考古中，人们发现了一些锯形的工具：或用于加工玉料，或用作刑具，有玉的、青铜的，也有铁的各种锯形实物。专家们认为，在甲骨文中，"我"字就像一把长柄的刀锯，说明当时已经有锯形的刑具。在湖北黄陂境内商代中期的盘龙城遗址里，曾出土了一把青铜锯。可以肯定地说，在鲁班之前，就有了锯子这样的工具。科技史专家认为，鲁班是春秋末期人，离西周时期不远，作为一名技术高超的工匠大师，应该经常使用锯子。或许他曾经对锯子进行过改造，优化了锯子的功能，使之更加耐用或高效等。战国时代铁器已经开始用于农业生产，工匠也得以使用性能良好的铁锯。认为锯子是鲁班发明的，也是可以理解的。

其实，是谁发明了最早的锯子已不重要，可以肯定的是，一种实用工具的诞生与完善，会有许多默默无闻的人参与，这些发明创造，凝结了劳动者共同的智慧。我们强调的是，受自然之物启发而发明锯子，是这个智慧故事的价值所在。它说明了一个道理，人与自然和谐相处的过程中，以自然为师，发现自然的奥秘，受到启发而发明、改造生产工具,这正是人类有别于其他动物的高明之处。

当然,鲁班不仅发明了锯子,还会制造武器。《墨子》中提到:"公输盘为楚造云梯之械,成,将以攻宋。"墨子花了十日十夜赶到楚国都城见鲁班,与他辩论。最后说服楚王放弃攻宋,可见鲁班确实是当时的制造大师。

海豚与片流膜

人们从动物的运动、捕食、生活习性中受到启发并完成创造发明的事件,在科技史上屡见不鲜。从天上飞翔的鸟儿、水里游动的鱼儿、地上奔跑爬行的野兽虫蛇等物种身上获得灵感而发明的生产工具、生活用具、交通设备、运动项目、武器等,有的至今还影响着人们的生活。例如,德国科学家马克思·克雷默发明"片流膜"的故事,就是受海洋动物启发,实现发明的最好案例。

20世纪上半叶,克雷默博士一直在做抗湍流的科学研究,目的是解决空气或水流的阻力问题,但一直没有很大进展,心里一直不畅快。一次,他乘坐轮船横渡大西洋去美国,那天阳光灿烂,风和日丽。船上飘荡着优美的音乐,人们正在打发旅途中无聊的时光,蔚蓝的大海上,成群的海鸟伴随着轮船一同前行,不时地

图 2-2 海豚

划出优美的曲线,在自由地追逐飞翔。他靠在轮船的栏杆边,默默地望着泛着浪花的大海,一群海豚在船边上下翻腾,欢快地追逐嬉戏,跟随着船舶一同前进。这群活泼的海豚,伴随着轮船快速游行有两个多小时了,依然那样轻松自在,没有丝毫倦意。这一现象,引起了他的注意:轮船大约每小时航行 50 千米,海豚不知疲倦地追逐几个小时,速度依然这么快,难道不会累吗?

克雷默想,飞行物体要经受湍流的阻力,水中运动物体也同样,那海豚是怎样抗击湍流,实现高速游动的呢?水的密度比空气密度大 800 倍,海豚抗击湍流能力这么强,必定有不为人知的奥秘。克雷默突然意识到,要保持这样的高速游动,莫非海豚是把湍流变成了片流?从此,他开始对海豚进行深入研究。

1956 年,他在显微镜下观察,发现海豚皮肤组织的结构与其他动物一样，由表皮、真皮和胶质纤维、弹性纤维交错的结缔组织组成。不同的是，海豚真皮层有许多小乳突，尤其额部和尾部的乳突特别发达。这些小乳突在对抗湍流方面有什么作用呢？这引起了他极大的好奇。经过仔细观察，他发现这些小乳突就是对抗湍流的最大秘密。

原来，这些小乳突形成了很多微小的管道系统，在运动中能经受很大的压力。含有交错胶质纤维和弹性纤维的结缔组织，中间充满了脂肪，增加了海豚皮肤的弹性。皮肤的弹性和疏水性，在很大程度上消除了水流由片流变成湍流的振动，使水分子集结成环状结构，在海豚体表上滚动，而滚动摩擦阻力是最小的。海豚皮下肌肉作波浪式运动，使富有弹性的皮肤在水压下能够灵活地变形，与水流运动相一致，有效地抑制了水流以高速流经皮肤时产生的漩涡。海豚在水中高速运动时，把水的阻力降低到最小限度，即使与船舶一起高速前行几小时，也不会觉得累了。

克雷默由海豚皮肤的特点触发了灵感，破译了动物身上的一大奥秘。1960年，他用橡胶仿造海豚皮肤的结构，研制出一款名叫"片流膜"的人造海豚皮。人们将片流膜装配在潜水装置上进行试验，湍流阻力减少了50%，速度明显加快。将片流膜安装在潜水艇表面，能大大地提高航行速度；安装在石油管道内壁上，能大大降低船的航行阻力，提高石油输送的效率。

奥运冠军的"鲨鱼皮"

2008年北京奥运会上，美国运动员菲尔普斯摘得8枚金牌，成为单届奥运会中获得金牌最多的运动员，多项成绩还打破世界纪录，一时轰动了世界泳坛。惊叹之余，大家都在努力寻找其中的奥秘。原来菲尔普斯除了拥有游泳天才独有的身高体型之外，还拥有一件高科技产品，一种类似于鲨鱼皮的泳衣。

早在2000年的悉尼奥运会上，伊恩·索普穿着一件奇特的黑色连体紧身泳装参加比赛，就引起了公众关注。比赛中，他劈波斩浪，速度飞快，宛如碧波中前进的鲨鱼，一举夺得3枚金牌，"鲨鱼皮"泳衣从此名震泳界。这种"鲨鱼皮"泳衣是科研人员模

图2-3　连体泳衣

仿鲨鱼皮肤特点而研制出来的一件"神器"。

　　科学家发现，鲨鱼一般体型庞大，但游速极快，在水中来去自由。奥秘就在它的皮肤表面，有着粗糙的V形皱褶，这种奇特的构造，能减小水流的摩擦力。游泳的人，在水中遇到的阻力，与水的密度、泳者正面面积、摩擦系数及泳者速度等有密切关系。用根据鲨鱼皮特点研制成的超伸展纤维材料制造泳衣，有利于运动员提高速度。这种纤维可以减小3%水的阻力，这在0.01秒就能定胜负的游泳比赛中，极具竞争价值。这款泳衣充分采用了仿生学原理，在接缝处模仿人类的肌腱，为运动员向后划水时提供动力，"鲨鱼皮"泳衣还采用了聚氨酯纤维等材料，可以增加浮力。运动员穿这种泳衣参赛，比赛成绩可以大幅提高，不少保持多年的纪录也纷纷"作古"。这一场泳衣的狂欢，在北京奥运会时达到高潮。菲尔普斯身着"鲨鱼皮"泳衣，8次登上领奖台，成就了一个个辉煌的时刻。

　　正是由于这种泳衣通过减小正面面积和摩擦系数形成了低阻力设计，使运动员提高了比赛速度，引起了关于比赛公平性的巨大争议。2010年，国际泳联宣布，全球禁用"鲨鱼皮"。

　　人类从鲨鱼的特性出发，改良了设计，制成了完美绝伦的游泳神器，使得仿生学价值得到完美体现，这正是"以自然为师"理念的完美体现。

让梦想插上翅膀

人类一直有飞翔的梦想。1907年出版的童话《尼尔斯骑鹅旅行记》中,调皮小孩尼尔斯被精灵变成了拇指大的小人,骑在家鹅马丁的脖子上,和一群野鹅飞上天空。故事描绘了在高处俯瞰大地田野、山川河流的情景,充满了想象力,令人向往,激发起青少年的飞天梦想。

让飞天梦想变成现实的第一人,是德国工程师、滑翔飞行家奥托·李林塔尔。1891年他设计并制造了一架蝙蝠状的弓形翼滑翔机,它让人能够如同鸟儿一样离开地面,翱翔空中,飞行距离超过30米,成为第一个实现飞行梦想的人。他因此被称为航空先驱,人称"滑翔机之父"。

图2-4 李林塔尔

李林塔尔出生在一个叫作奥克拉姆的小镇,濒临波罗的海。少年时代的李林塔尔对自然界的一切充满好奇,面对那些时而掠水低徊、时而展翅高飞的海鸟,更是心驰神往。他从小就喜欢幻想,渴望能像鸟一样自由地飞翔。有一次,少年李林塔尔和弟弟古斯塔夫跑遍整个小镇,到处寻觅羽毛,把它们粘贴在薄木板上,做成了一副翅膀,披在身上,期望能像飞鸟一样飞起来。这样的试验，一次次都失败了，但是李林塔尔没有气馁，他发誓一定要制造一对神奇的翅膀，实现像鸟一样飞起来的梦想！

李林塔尔办了一个机械厂，专心致志地设计、制造发动机，解决飞行的动力问题。当时，限于科技水平，他所面临的难题并不是无动力，更关键在于对飞翔的原理并不清楚，飞行器的结构、设计、稳定操纵等，完全没有可以参考的资料。一切要从头开始。功夫不负有心人，通过仔细观察，他发现，滑翔飞行是最可行的。

为了设计出最理想的飞行器，两兄弟经常到海边，仔细研究鸟类的翅膀结构、飞翔方法等，特别是翼面与升力之间的关系，有时一坐就是一整天，周围人也很不理解他们对飞行的"痴迷"，甚至嘲笑他们这是痴心妄想的疯子行为。但是，他们没有理会这些。后来，他们发明了一个公式，可以计算鸟类飞行、滞空及滑

图 2-5　李林塔尔和飞行器

翔时所付出的体力大小，渐渐地有了一些数据和知识积累。前后7年时间里，他们俩全力以赴，投身在飞行器和发动机的研究中，先后制造出18种不同型号的滑翔机。

为了能够飞起来并得到第一手数据，李林塔尔非常拼。他每次都是亲自操纵滑翔机，从屋顶或山坡上，一遍又一遍地冲下来，期待着借助风力，像鸟儿一样飞起来。但是，科学探索的道路是崎岖且充满危险的，有时甚至会让人付出生命的代价。他一次次飞行试验，换来的是一次次失败，折戟而归，有好几次都是死里逃生，手臂、大腿和肋骨多次折断，但是，他总是不等伤口痊愈，就又出现在飞翔场地。

不断的失败，终于换来了成功的喜悦。1896年4月9日，李林塔尔操纵滑翔机从斯图伦附近的山坡上起飞，在一股强劲的风力作用下，飞行器一下腾空起来，直冲上天空。李林塔尔非常兴奋，但由于上升迎角太大，滑翔机临近失速，他没有办法控制这头发疯的机器怪兽，最终如同一只垂死的巨鸟，一头栽向地面，滑翔机摔毁了。李林塔尔受了致命的重伤，脊椎断裂，不幸遇难。在弥留之际，他还对弟弟古斯塔夫说："总是要有人牺牲的，你一定要继续坚持下去。"

在飞行器发明史上，李林塔尔令人敬佩，他的工作极有价值，直接影响了莱特兄弟发明飞机。他死后，著作被翻译出来，成为飞行研究的第一手资料。他大胆而执着的态度，使人们能够看到，虽然人类没有翅膀，但利用风力，也能够进行飞行。

人类最早的一些飞行器，都是借鉴、参考或模仿飞鸟的翅膀，借助风的力量，实现飞行目标。由鸟儿到飞机，人类实现飞翔梦想的过程中，一直受到大自然这个"老师"的教诲，从中接受最直接、最有效的影响与启迪。

捕捉发明的灵感

人类最早利用自然、模仿自然的动机，催生了各种各样有趣的发明创造。就是因为生活中的事物引起了科学家的关注，进而使其捕捉到灵感，才让一个又一个发明诞生。

"小小诸葛亮，独坐中军帐，布下八卦阵，捉住飞来将。"这个谜语讲的是大家都熟悉的蜘蛛。这小小的食肉动物，利用排丝张网捕虫，展示了非凡的能力，但蜘蛛究竟如何排丝结网，知道的人就不多了。蜘蛛腹腔内含有一些腺体，叫作丝腺，目前已知的有8种丝腺。丝腺会分泌一种骨蛋白，通过纺绩器排出体外，在空气中凝结，再经过蜘蛛的步足，梳理成细丝。研究发现，蛛丝比蚕丝细得多，但具有黏性好、韧性大、弹性强的特点。一根纤细的蛛丝可以吊着蜘蛛升降自如，随风飘荡。一条足够长的蛛丝可飘到远离大陆的海面上，始终不会断开。

蛛丝的这种优异性能，引起了科学家的极大兴趣。美国科学家将蛛丝和用作防弹衣材料的纤维B做比较试验，结果表明，蛛丝在延伸到15%的长度时才断开，而纤维B延伸到4%的长度时

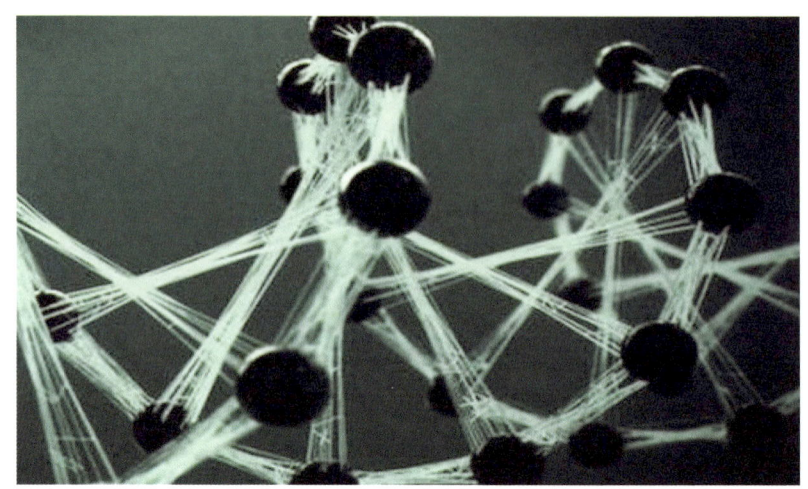

图 2-6　蛛丝纤维

就断开了。用蛛丝做的防弹衣防弹性能会比用纤维 B 做的强。美国的研究人员发现，从大蜘蛛腹内抽出蛛丝，每次抽取蛛丝 3～5 毫克，每股蛛丝可达 30 多米长。抽过丝的蜘蛛第二天又可照样抽，生产能力超强。最终，科学家弄清楚了蛛丝蛋白的化学性质、结构单元，以及转化成晶体聚合物形成蛛丝的过程，人们期望用仿生学手段，制造出人造蛛丝，这种蛛丝可能比现有丝线更强、更轻，有更多的用途。

　　研究和模拟动物的习性与特点，可以获得新的启发。不少动物运用声呐来进行准确的定位，从而寻找食物、躲避天敌等，其能力远超过人类。蝙蝠、鲸类等动物利用声呐，在黑夜中导航和寻找食物。它们发出超声波，根据声波碰到物体后的反射情况来辨认目标，准确定位。人们从中受到启发，发明了多用途的声呐设备，进行夜间或深海作业，尤其在潜艇、雷达等领域，声呐的用途更加广泛。

第二次世界大战期间，人们借助自然万物的奇特构造或色彩等，研发了不少仿生设备与武器。大家熟悉的乌贼，体内有一块"骨板"，中药名为海螵蛸，内部为疏松多孔隙的石灰质结构，空隙处可充满气体，如果把海螵蛸揿入水中，手一放开，它会立即浮上水面。乌贼的这种结构，被科学家用到了潜艇等浮箱系统的设计之中，成了一项相当成功的仿生技术。

航天航空是仿生学研究与运用的重点领域之一，有不少有趣的发明。例如，宇航员出舱操作、维修或进行实验等，需要有一件穿戴方便的宇航服。据说，科研人员在一次用餐时，发现虾的外壳既坚硬又可以弯曲，从中受到启发，于是将宇航服设计成虾外壳的样子，解决了大难题。

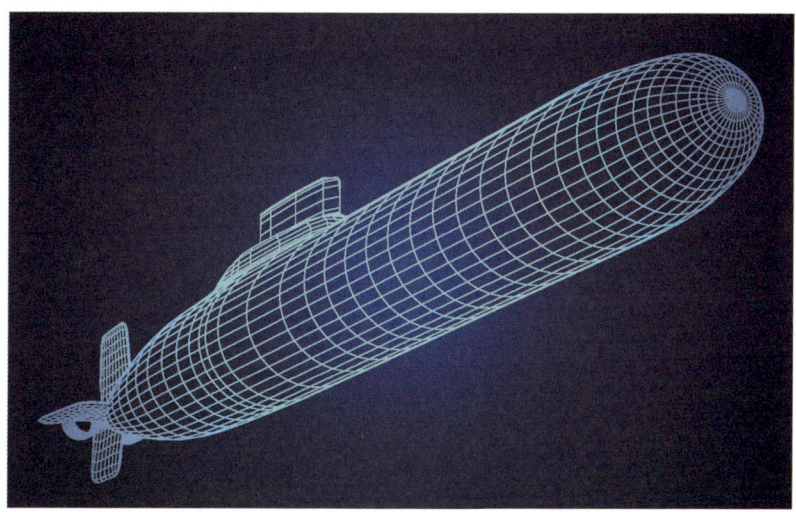

图 2-7　潜水艇模拟

科学的背后

　　大自然是人类创造发明最好的老师。如今这种仿生创造产品随处可见。例如，人们根据萤火虫的闪光原理，制成了人工冷光设备；根据对人体骨骼肌肉系统和生物电控制的研究，发明了功能多样的步行机、跑步机等；由动物爪子抓取食物产生联想，发明了起重机的抓斗。其实，这类发明还有许多。由鱼鳍想到了船桨，设计了水上运动比赛项目；由苍耳黏人的属性，发明了尼龙搭扣；等等。从生活用品到设备设施，从普遍工具到军事武器，比比皆是。甚至一些体育运动项目，如蛙泳、蝶泳等，都在模仿动物的运动特征，进而成为我们熟悉的比赛项目。

　　从自然万物到人类发明，构建起了思维桥梁，这些思维桥梁给发明创造带来了启示，极大地拓展了发明创造的空间。科学家认为，怀抱学习的心态，细心观察自然，发现规律特点，对于创造发明具有重要的意义。

图 2-8　蝶泳

第 2 章
大自然是最好的老师

1. 生活中哪些东西的设计发明与自然万物有关?

2. 你觉得身边的哪些事物可以向大自然学习或借鉴经验呢?

第 3 章

从深思到顿悟的飞跃

人类有别于其他动物，一个重要的原因是人类成功进化出了一个非凡的大脑。脑科学研究表明，人脑的重量达到 1250～1400 克，大脑重量与体重的比例为 1∶40，大大超过了所有大型的脊椎动物，与一般的哺乳动物相比也遥遥领先。比如一头成熟的大象，与其庞大的身躯比，大脑所占的分量就很少。而人脑具有强大的思考功能，拥有大约 120 亿个脑细胞和最为复杂的脑神经网络，形成了最为复杂的大脑构造。人脑具有强大的学习、思考和创新功能，它通过记忆、联想等方式，对外部感知的信息进行加工处理，形成了意识，最终成为人们思考和交流的内容。

神秘的大脑思维

大脑的强大功能,一直是人类最着迷的研究对象,脑科学研究已经成为世界科技发展最为前沿的领域之一。大脑强大的思维功能,自然而然成为了创造发明的重要支撑。许多科学家养成了良好的思维习惯,实现了一系列的重大发现。正是依赖人类大脑强大的思维功能,人类才拥有了认识自然、改造自然的能力,能够发现和利用天然火、制造和发明工具、形成紧密社会关系、创造社会文明等,从而在抵抗自然灾害、促进自身成长、推进文明发展等方面取得了其他动物不可比拟的成就。可以这么说:人类如果没有进化出一个智慧的大脑,就不会成为一个"人",更不会有现代文明的一切创造与发明。

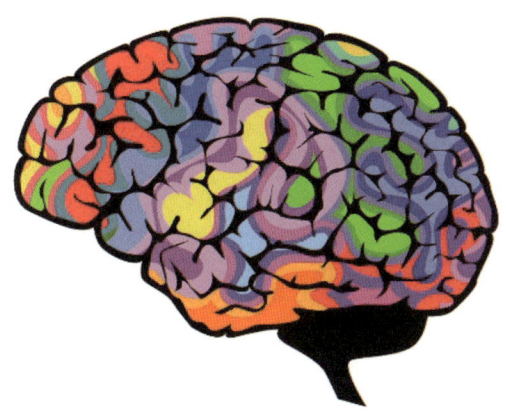

图 3-1 大脑

中国古人很早就在探究大脑的作用,《说文解字》中就有"脑"字。有意思的是,古人认为心是思想的器官,《孟子•告子上》中写道:"心之官则思,思则得之,不思则不得也。"因此所有与思想、思考有关的汉字,都与心(包括竖心旁)相关,如思、想、忠、爱(愛)、忍、愁、念、息、虑、情、怀、恨、忖等。汉文化十分强调思维的重要性,关于思考、思想、思维的成语特别多,如深思熟虑、冥思苦想、殚精竭虑、奇思妙想、心有灵犀一点通等。这说明人的思想、思维活动、思维过程、思维方式等,一直受到人们关注、思考与研究。人们对历史上有着高超思维能力的人物,如姜子牙、诸葛亮、刘基等推崇备至。一些善于思考、善于动脑的故事,如曹冲称象、司马光砸缸,都是大家耳熟能详的。重思、勤思、善思、能思的历史人物、成语典故、名句、格言等,比比皆是。

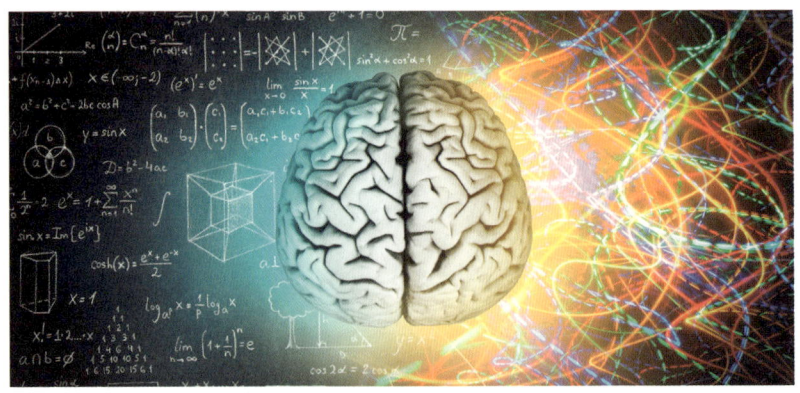

图3-2 大脑中的思维

现代脑科学研究表明,大脑才是思维的器官。大脑对外部信息的接收与处理,是创造与发明的重要基础。人们通过认真观察研究,

第3章
从深思到顿悟的飞跃

集中精力进行深入思考，让大脑进入极度兴奋的状态，甚至达到冥思的程度，这样的深度思考，往往会伴随着重大的发现。爱因斯坦说："想象力比知识更重要，因为知识是有限的，而想象力能够拥抱整个世界，推动社会进步，并且是知识进化的源泉。"他在

图 3-3　爱因斯坦

专利局工作时，发表了震惊世界的 5 篇论文。物理界对他的成就感到非常惊讶，他自己总结说："这个工作给了我基础和稳定的时间，能够让我思考那些困难的问题。"可见，善于思考、自由探索，是成为科学大师的前提之一。阿基米德在洗澡时发现浮力定律，牛顿在冥思中发现万有引力，以及许多作家、画家、音乐家在创作过程中灵光一现、才情迸发，充满了神奇的经历。这些"顿悟"，无一不是他们集中精力、认真思考、缜密推理的结果。

苹果落地与引力

艾萨克·牛顿是 17 世纪人类最伟大的科学家之一，他在物理学、数学和天文学方面的贡献是划时代的。爱因斯坦曾说："在

人类历史上，能够将物理实验、数学理论、机械发明结合为科学艺术的人只有一位，那就是牛顿。"为什么牛顿能做出这么大的贡献？究竟是什么习惯、方式发挥了作用呢？除了作为科学家的聪明才智、深厚的知识积累以外，与他的专心致志、潜心钻研、缜密冥思也有很大的关系。

图 3-4　牛顿

1643 年 1 月 4 日，牛顿出生在英格兰林肯郡乡下一个名叫伍尔索普的小村子，他的先天条件、家庭出身并不好，甚至可以说是很不幸。牛顿出生时极度衰弱，几乎夭折，出生前三个月父亲去世，他与母亲相依为命。他的科学巅峰时期正处于人类历史上最可怕的黑死病流行时期，他随时都可能成为几千万死者中的一员。

当时进入学校学习知识已经成为社会风尚。虽然家庭条件很差，但牛顿还是坚持完成了学业。1661 年，他进入剑桥大学三一学院学习。由于母亲给的钱仅够付学费，所以他必须获得一些额外收入，作为补贴生活的费用。于是，他找到老师帮忙，得到一份实验助手的工作。幸运的是，这一份普通的临时工作，让他有机会走进剑桥大学最优秀的教授所研究的领域，继承了这些教授们一生的研究成果。这也似乎印证了他的名言："如果我看得比别人更远些，那是因为我站在巨人的肩膀上。"

有人曾问过牛顿，为什么能取得这么大的成就，他回答说："我始终把思考的问题，像一幅画一般摆放在面前，再一点一线地勾勒，直到整幅画慢慢地凸显出来，这需要更长时间的安静与默想。"

与他同时代的物理学家威廉·斯蒂克利写过一本名叫《牛顿一生回忆录》的书，还原了"苹果落地"的故事真相。这本书写于1752年，离牛顿去世不到30年，一般研究者认为可信度比较高。书中记载，1726年春天的一个下午，晚年的牛顿与斯蒂克利一起散步，说起了一段往事："当时吃过饭后，由于天气暖和，我们俩人来到花园，在几棵苹果树下的阴凉处喝茶。众多话题中，牛顿告诉我，先前'万有引力'思想开始在他的脑海中浮现时，恰好也是这样的情形。当时，他正在苦思冥想，突然有一个苹果从树上掉下来。他开始思考，为什么那个苹果要垂直向下落到地面上？为什么不会斜着向下落或者飞到天上，而是始终朝向地心方向？毫无疑问，就是地球在吸引着它。"

这就是"牛顿、苹果与引力"故事的由来。可是，后人根据这场对话，演绎出来的故事，与当时的记录还是有区别的。

首先，牛顿并没有这么倒霉地被苹果砸到头，只是看到苹果掉落这一现象；其次，看到苹果落下时，他也没有闲着，他正在思考有关引力的问题。"苹果落地"这一现象，触发了他的灵感，于是有了两个"为什么"的发问，最后得到一个结论：是地球在吸引着它。这个过程，就是"思考（冥想）—现象—思考（问题）—结论"，牛顿看到苹果落地的现象，证实了他一直在思考的想法，根本不是人们常说的"因苹果砸头而发现了万有引力"。

苹果掉落到地上，本是一件极其平常的事，往昔的岁月里，不知发生了多少回，也不知被多少人看见过。唯独牛顿从中看出了门道，发现了自然界的"惊天秘密"。毫无疑问，这与牛顿的思考、冥想有着重要的关系。

那个时期，牛顿对哥白尼"日心说"、开普勒宇宙三定律等学说进行了长期认真的思考，却一直苦于不能找到完整的答案，对这些理论作出科学解释。地球如何绕着太阳转而不脱离？行星速度为何距太阳近则快、远则慢？离太阳越远的行星，为何运行周期就越长？这些问题，一直在牛顿的脑海里翻转，始终缺乏一个有利的"悟点"。而恰巧是"苹果落地"这一偶然现象，一下子贯通了他的思路……

此后，牛顿经过一系列的实验、观测和演算，终于发现太阳的引力与它巨大的质量存在密切相关，揭示出宇宙的一条普遍规律：凡物体都有吸引力；物体质量越大，所产生的吸引力也越大；两个物体之间的间距越大，彼此的吸引力就越小。根据牛顿的这一发现，可测定太阳和行星的质量，确定计算彗星轨道的法则，解释说明月球和太阳引力造成的海洋潮汐现象，推导出第一、第二和第三宇宙速度。

牛顿不但验证了前辈们的成果，也为未来计算空间运载工具的最低推力提供了精确而权威的科学依据。牛顿的发现，宣告了一个属于他的时代真正到来！牛顿在科学上巨大的贡献永载史册，人们也会永远记住苹果落地给他带来了灵感，让他产生了万有引力的伟大联想。

"尤里卡，尤里卡"

阿基米德是古希腊时代伟大的哲学家、数学家、力学家，他出身于西西里岛叙拉古的一个贵族家庭，早年在埃及的亚历山大跟随欧几里德的一个学生学习，一直与亚历山大学派的学者们保

图 3-5　阿基米德

持着密切联系。人们常把他和牛顿、高斯并称，给予极高的评价，称他是有史以来最伟大的数学家之一。

第二次布匿战争时期，他的家乡叙拉古遭到围攻，战争异常激烈。爱国者阿基米德立志要献出一切聪明才智，为祖国效劳。他发明了起重机，能够抓起敌人的船只，把它摔得粉碎；他还利用杠杆原理发明了远程投石机，抛出大石、火球等，阻击敌军的进攻。最为神奇的是，他曾组织城里的老人、妇女拿出家中镜子，用玻璃镜去反射日光，烧毁了敌船。但是最后，叙拉古寡不敌众，还是陷落了，阿基米德不幸死于罗马士兵之手。据说，临死前他还在画图计算。

他的生平虽然没有完整的记载，他的故事却广为流传。他发现了杠杆定律后，曾发出一句豪言：给我一个支点，就可以撬动地球！当然，他最出名的事迹，当属他在洗澡时发现了测量形状不规则物体体积的方法，帮助国王鉴定金王冠真伪的故事。

叙拉古国王叫金匠造一顶纯金的王冠，因怀疑金匠偷换了真正的黄金，在王冠里面掺有其他金属，国王就请聪明的阿基米德鉴定一下。同时，国王又告诫阿基米德，不得毁坏王冠。

阿基米德想了许多办法，进行了各种计算，都没有成功。他从早到晚都在苦思冥想，甚至忘记了吃饭睡觉。一天，他真的累极了，想在浴盆里洗澡，放松一下。他把澡盆的水放满后，刚一躺下，水就溢出来了。一个闪念使他想到，人一躺下，水就溢出来，不就能根据溢出的水量，得出他身体浸在水中的那部分体积吗？如果他把王冠浸没水中，根据水面上升的情况，也可以算出王冠的体积。将王冠的体积与重量相等的金子的体积进行比较，如果两者体积相等，就证明王冠是纯金的。假如掺有银子的话，王冠的体积就会大些。想到这里，他猛然从浴盆中跃出，抑制不住喜悦，赤条条地奔到大街上，径直向王宫跑去，一边跑一边喊："尤里卡！尤里卡！（即希腊语"我找到了"的意思）"

聪明的阿基米德终于解决了国王的难题，更重要的是，他为人类贡献了一个伟大发现，他将这一流体静力学的原理，即物体在液体中减轻的重量等于它所排开液体的重量，写进《论浮体》一书中，这就是著名的阿基米德浮力定律。

阿基米德在澡盆中洗澡发现了测物体体积的方法，进而发现浮力原理的故事，看似十分偶然，甚至有些不可思议，但仔细一想，也是情理之中。因为在他脑海中，一直在寻求黄金王冠中的

图 3-6　阿基米德发现测形状不规则物体体积的方法

答案，水从浴盆溢出的现象，突然激发了他的灵感，让他发现了浮力的秘密。试想一下，如果只是一次轻松休闲的洗澡，没有一点深入的思考，即使是洗了百遍千遍，也难以发现规律。

思考的魅力，也许就在于此！

梦想可以成真

人人都会做梦，正所谓"日有所思，夜有所梦"，一般认为梦是白天思考的延续。脑科学研究表明，梦是大脑进行思考的另一种模式。做梦的过程，能让大脑得到休息，将信息进行过滤整理，同时也是思考的过程。

德国化学家凯库勒因梦圆梦，发现苯的环状结构式的故事，似乎让人看到了思考与梦境的微妙关系。这一故事也表明，深入而专注的思考，对于科学发现具有极其重要的价值。

1829年，凯库勒出生在德国达姆施塔特，他从小聪明出众，小小年纪就令老师和同学们刮目相看。有一次，老师在语文课上布置了一道作文题，要求学生们在下课前交卷。全班同学都在紧张地埋头写作，他却若无其事地坐着，悠闲地看着天花板出神。老师见他不写一字，用严厉的眼光暗示他赶紧动笔。快下课时，老师点名要他读作文，凯库勒拿着手中的白纸，出口成章地"读"

了起来。这篇即兴之作结构精巧，文采飞扬，博得了同学们一阵热烈的掌声。

凯库勒在吉森大学学习建筑，但他的人生因一个人而发生了重大转折。当时城里发生了一件"戒指失窃案"。法庭指控宝石戒指被仆人所窃，可仆人极力否认，一口咬定说早在1805年时，戒指就是他家祖传的宝贝。法庭请李比希对戒指的金属成分进行测定。这枚戒指造型很漂亮，有两条蛇缠在一起，一条是黄金的，另一条是白金的。仆人说戒指上的白蛇是银

图 3-7　凯库勒

做的。李比希鉴定后，当场郑重宣布："经过测定，白蛇是用白金制成的，而不是白银做的。白金用于首饰业是从1819年开始的，仆人说自己1805年就拥有这只戒指，显然是一个谎言。"法庭采信了李比希的证词，公正地作出了判决。凯库勒因此对李比希的渊博学识佩服不已。当时，著名化学家李比希正在吉森大学任教，出于对这位声誉卓著的大师的仰慕，凯库勒经常去听他的课，后来开始专攻化学，并在李比希主持的实验室中工作。在名师的悉心指点下，凯库勒受益匪浅，为从事化学研究打下了坚实的基础。

19世纪中叶，有机化学的研究蓬勃发展。苯作为有机化学原料，是从煤焦油中提取的一种带芳香的液体。当时，化学家们面临着一个难题，那就是没有办法完全理解苯的结构。苯分子含有

6个碳原子和6个氢原子，碳化合价是四价，氢化合价是一价。1个碳原子可以和4个氢原子化合，6个相互化合的碳原子应该可以和12个氢原子化合，而苯怎么会是6个碳原子和6个氢原子化合呢？化学家们百思不得其解。

凯库勒也在思考着这一难题。他的脑子里，从早到晚始终想着6个碳原子与6个氢原子，经常每天只睡三四个小时，黑板上、地板上、笔记本上、墙壁上，到处画着化学结构式，他设想过几十种排法，但都经不起推敲。

一天晚上，凯库勒坐马车回家，摇摇晃晃中睡着了。在半梦半醒之间，他发现碳原子和氢原子在眼前飞动，变幻着各种各样的花样。忽然，原子变成了戒指上的那条白蛇，蛇扭动着、摇摆着，最后咬住了自己的尾巴，变成了一个环……"先生，您到家了！"马车夫的叫声惊醒了凯库勒。他揉揉眼睛，白蛇不见了，环不见了，原来是一场梦！但凯库勒灵机一动，想出了苯的结构，它一定是像白蛇那样，头尾相接，构成环状结构。他兴奋至极，马上奔向书房，抓起笔在纸上画了起来，很快，一个首尾相接的环状分子结构出现了。有机化学史上长期悬而未决的一个难题就

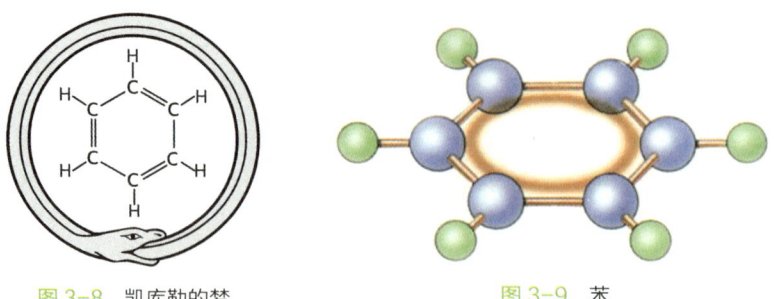

图3-8　凯库勒的梦　　　　　图3-9　苯

这样被解开了。

凯库勒受到梦境的启示，发现苯的环状结构，从表面上看，是一种偶然，实际上却是他连续日思夜想的结果。这个梦境成真的经历，成为科学史上最为动人、最为神奇的故事之一。

    1. 你平时喜欢思考哪些方面的问题？提出过什么有趣的问题吗？

    2. 你是怎样理解"梦想成真"的？你有这样奇特的经历吗？

第4章

失败奠实成功路

纵观科学发展的历史，人类每一点知识的获得，每一次科学探索，面对的都是一个未知的世界，充满众多的不确定性，而事物规律隐藏在纷繁复杂的表象下。科学的每一个进步，都饱含着科学工作者前赴后继的辛勤付出，伴随着许多失败与挫折，甚至还要付出生命的代价。即使获得了阶段性成功，也需要在实践中多次验证，有时随着科学的进步、人们认识的深化，原先被人们认为正确的观点、结论，也难免被质疑、推翻、重构。正因如此，人类对世界的认知才会不断深化，知识才会不断积累，知识体系才能不断完善。科学追求真理，探索自然奥秘，就是在不断否定、不断试错中，一步步地接近真相，接近规律，从而获得认识的重大突破，获得发现与创造。从认识规律的层面上看，一次次错误、失败、否定，引导人们不断修正错误，调整方向，才能不断接近真理，获得认识的深化。

第4章 失败垒实成功路

挫折也是宝贵财富

人类探索的脚步不会停止，认识事物规律的过程也不会终结。在探索中出现失败是不可避免的，一个现象的发现，一个发明的诞生，是不断验证的结果。如何正确认识、对待失败，在失败中一步步找到正确的方向，不断接近真相，是科学研究的一个重要问题。

从科学史上看，失败或挫折，本身也有其价值。失败不代表毁灭，而是提醒人们反思、检讨的一个过程，它往往能给后继者以经验教训，以启示感悟。正确认识科学探索的独特性，宽容失败，允许失败，及时总结经验教训，是科学文化建设的重要内容。

科学探索者深信，探索奥秘的道路不会是平坦的，需要有坚定的信念、敢于牺牲的精神，不屈不挠，才能到达光明的顶点。

伴随着科学的脚步，探索征途上的失败与挫折，成为通往胜利的一块块垫脚石，它们也是人类认识从必然王国走向自由王国的一段插曲。导致失败的原因很多，有的是设定的目标过于远大，有的是错综复杂的外部影响，也有的与个人性格有关。俗话说，人生不如意者，常十之八九。这说明人生旅途上不可能都是一帆风顺，一蹴而就。重要的是，面对失败甚至是连续的失败，能否重新站立起来，甚至反败为胜。

科学史上，不乏历经无数次失败与挫折，最终获得成功的例

图4-1 陈景润

子。如著名数学家陈景润在"文化大革命"这样极其艰苦的环境下,潜心研究哥德巴赫猜想,几十年如一日,虽疾病缠身也痴心不改,失败了再前进,跌倒了再爬起来,用于数学计算的草稿写了整整几个麻袋。经过多年的推算,最后发表了"陈氏定理",登上了世界数学的高峰。

"吃一堑长一智",一次失败既是一份挫折,也是一次人生的历练。失败后冷静思考,从中吸取教训,在失败中振作,才是正确的人生态度。

第 4 章
失败垒实成功路

不甘失败的爱迪生

说到不甘失败,最有传奇色彩的,要数"发明大王"爱迪生的故事。爱迪生一生潜心于科学研究,取得了电灯、电影摄影机等 2000 多项发明专利,不少发明至今还影响着人们的生活。他的传奇历程,同样充满了失败和挫折,因此他被人称为"不甘失败的爱迪生"。

1847 年 2 月 11 日,爱迪生出生在美国俄亥俄州的米兰镇,幼年时家境不好。7 岁时,爱迪生患了一场猩红热,导致右耳严重耳聋。上小学仅仅三个月,他就被老师斥为"低能儿",撵出了校门。母亲成为他唯一的"家庭教师"。由于母亲教育得法,培养了他良好的学习习惯。少年时期的爱迪生尤其喜爱读书,小小年纪就开始阅读莎士比亚、狄更斯等名家的小说诗歌,也十分喜欢历史书籍,十多岁时就开始阅读《自然与实验哲学》等科学巨著。从书本中获得的知识,对他的成长产生了重大影响。

后来,他迷上了科学实验,为了赚钱购买化学药品和设备做实验,12 岁时就开始到处打工,在火车上叫卖报纸、书刊,跟随

图 4-2 托马斯·爱迪生像

着飞驰的火车，辗转于休伦与底特律之间。他极具商业头脑，发现办报纸有利可图，于是当他积攒了第一笔钱后，就买了一架旧印刷机，独立办了一份《先驱报》，在火车上销售。在火车的行李车厢里，他建起了一个小化学实验室，卖报之余，就钻进实验室做实验。有一次，化学药品不慎着火爆炸，列车长发现后，气得暴跳如雷，把实验设备及药品等扔出了车外。

后来，爱迪生找到一份新工作，担任电信报务员，工作职责是在火车上发电报，与各站点保持联络通讯。这个时期，他如同流浪汉一样，足迹遍及斯特拉福特、艾德里安、韦恩堡、印第安纳波利斯、辛辛那提、休伦等多个城市，虽然十分辛苦，但他对于科学实验的痴迷与日俱增。强烈的兴趣爱好，丰富的生活阅历，加上善于动脑思考，他的聪明才智终于得到充分展现。1868年，他发明了一台自动记录投票数的装置，获得了人生的第一项发明专利。从此，他一发不可收拾，步入了充满传奇色彩的发明生涯。

1869年10月，他来到纽约，做了一件人生大事，成立波普-爱迪生公司，专门生产电气工程相关的科学仪器。不久，他用发明通用印刷机获得的4万美元收入，在纽瓦克市建了一家工厂，专门制造各种电气机械。而发报员的经历，让他看到了远程信号传输技术的广阔空间，并在同步发报机的研究中做出了巨大贡献。

1876年，爱迪生在门罗公园建造了新工厂，带领一批技术人员工作，开始了富有传奇色彩的"集体研究发明的过程"。在这里，他改进贝尔电话系统，使之能够投入实际使用；发明了留声机——改变人们生活的重要发明之一。他被社会各界称作"门罗公园的魔术师",一件件不可思议的发明创造源源不断地从这里诞生。他也理所当然地成为了那个时代最伟大的发明家。

图4-3 发明工厂

人们只关注他每项令人震惊的新发明,以及由此带来的财富与荣耀,却不知道,在辉煌的背后,无数发明的过程中,他经历了难以想象的、无数次的失败。1879年,他发明了第一盏真正意义上的实用电灯,但灯丝寿命非常短,难以进入千家万户。他与研究团队一起,一次次做实验,一次次换材料,经历了一次次的失败。大约试用了1600种材料后,终于找到了一种新的发光体,能持续发光45个小时,基本达到了耐用的标准。

无数次的失败,换来一次成功,需要有多么了不起的毅力与耐心!如果中途在任何一次失败、任何一次困难面前停止脚步,都可能推迟世人享受光明的时间。

爱迪生的发明,创造了新发明的可能,他创造了一种供电系统,实现了电力的远程输送,使得电的生产与使用成为可能。在试验电灯时,他借助电流计观察到,在点亮的灯

图4-4 灯泡

泡内有电荷从热灯丝经过，这就是后来的爱迪生效应。它促进了电子工业发展，催生了无线电、电视等发明。1887年，他创办了多家商业公司，推销发明与创造，后

图4-5　爱迪生和摄影机

来还有了世界级企业通用电气公司。他发明了世界上第一台电影摄像机，使用赛璐珞胶片，拍下一系列照片，迅速地、连续地放映到幕布上，产生出运动的效果。1903年他摄制了第一部故事影片《列车抢劫》。一位伟大发明家的奇思妙想推动了电影产业的发展。

爱迪生的学历并不高，却对人类做出了巨大贡献，秘诀是什么呢？除了他有好奇心，敢于亲自试验，敢于大胆探索之外，还因为他具有超乎常人的无穷精力与果敢精神。他说："天才就是百分之一的灵感，加上百分之九十九的汗水。"这些汗水里，浸透了实验失败的辛酸，在辉煌的成就背后，伴随着数不清的失败。在发明蓄电池时，有人曾问他："你一共失败了25000次，为什么不放弃呢？"他幽默地回答："不，我并没有失败，我是发现了25000种蓄电池不管用的原因。"失败与挫折，在一般人眼中都是痛苦的记忆，但在爱迪生的心中，却有另一种充满智慧的解读。

正是这种不甘失败、顽强前行的精神，让爱迪生成为了世界闻名的"发明大王"。

万户飞天的梦想

在国际航空航天界，流传着一则非常励志的故事。故事主人公是一位中国明朝人，名叫万户。500多年前的一次飞天壮举，让他成为航天界家喻户晓的人物。

据说，万户年轻时很爱动脑筋，在人们的眼中他与众不同。他渴望能飞到天上去，看看云朵，看看星星。有时在河边，看着远处高飞的鸟儿，心里总是痒痒的。新年到了，人们正在忙里忙外，他却坐在家中冥想。门外炮仗、焰火等，一阵响过一阵，蹿飞上天空。他突然眼前一亮，或许可以用许多根火箭将我送上天空啊。于是，他开始了前无古人的一项飞天实验。那一天，天空湛蓝，他手执两张风筝，将自己捆绑在座椅上，后面绑了47支装满火药的"管子"，准备用"火箭"把他送上蓝天。"火箭"点燃后，并没有将他送上蓝天，反而让他因此殒命。从四面八方赶来看热闹的人一下散了，大家都把万户当作疯子，说他死得毫无价值。

万户的想法和做法，在当时的人们看来，的确是可笑的、荒谬的。然而，这场以失败告终的举动，在今天的航天人看来，却具有非凡的意义。万户这位在史书上找不到名字的普通人，被誉为"世界航天第一人"。

1970年，在英国布赖顿召开的国际天文学联合会上，各国科学家一致同意，将月球背面的一座环形山，以"Wan Hoo"的名字命名。在我国西昌航天城的主题公园里，矗立着一座"万户升天"

的雕像，讲述着那个充满冒险精神的传奇故事。

清华大学刘仙洲教授在《中国机械工程发明史》中，最早引用了美国人赫伯特·基姆在《火箭与喷气发动机》中关于"Wan Hoo"的记述。随后被广泛传播。

图 4-6　万户飞天的故事

万户飞天的故事，在外国科技科普读物中也曾多次出现。苏联火箭学家费奥多西耶夫、西亚列夫合著的《火箭技术导论》中提到，中国人不仅是火箭的发明者，也是"最早试图利用固体燃料火箭将人载送到空中去的幻想者"。英国火箭专家麦克斯韦尔说："万户飞天是早期火箭史中一件有趣的重大事件。"德国火箭学家威利·李在1958年出版的一书中提到，"Wan Hoo"在"发明并试验一种火箭飞行器时，颇为壮观地自我牺牲了"。

万户利用火箭技术，梦想飞天的壮举，受到后人的高度评价。他的经历有着非同一般的意义，可谓虽败犹荣。他敢于想象、敢于实践、敢于牺牲，对于外部世界，对于广袤的宇宙、天空，充满了好奇和挑战的信念。人类对于太阳、月亮、星星的一切想象，过去都寄托于神话人物来实现，如嫦娥奔月、后羿射日、夸父逐日等，但这些关于天空的描写，想象多于实践，缺乏真正的挑战精神。万户作为一个凡人，有远大梦想，有实践精神、牺牲精神。他利用火药制作火箭，尝试实现飞天梦想，与现代人利用火箭强大推力，实现飞天梦想的原理完全相同，在思维上极其超前，具有极高的创新性。这正是中外科技史家、航天科学家关注万户，并给予高度评价的原因之一。

在科学探索的历程中，万户不再是满怀飞天梦的痴人，他的失败，也并非博人一哂的笑料，他是给后人以极大启迪的科学探索先驱，他的尝试具有非凡的科学意味。

在人们探索世界的过程中，也有许许多多像万户一样的牺牲者，他们可能因尝百草而被毒死，可能因架设桥梁而坠死，也可能是为探索航路被大海溺死，也许就是为了看一眼、听一下、动一下，而失去了宝贵的生命。但是他们的失败，却给后人以经验、知识、教训，成为后人前进途中的一个个路标，指引人们朝着正确的方向前进。

我们应该用最崇敬的心情，记住那些科学探索征程上的每一位"万户"，记住那第一个敢于飞天的英雄！

宽容是科学进步的沃土

2017年6月19日，西昌卫星发射中心，正在现场直播长征三号乙运载火箭发射"中星9A"广播电视直播卫星的过程。但是，发射过程中火箭三级工作突然出现异常，卫星未能进入预定轨道。也就是说，火箭发射失败了。

国内媒体迅速报道了这次令人意外的事故。这几年中国航天技术突飞猛进，人们听到更多的是喜讯，长征二号、长征三号火箭多次成功发射，从载人飞船到宇航员太空漫步，到嫦娥工程的成功实施，中外航空界对中国航天业发展给予了极高的评价，每一次现场直播火箭升空的镜头，都是激发爱国热情的最有力画面，也是对航天事业发展自信的最有力证明。人们听到了火箭升空失败，多少有些不同的反应。网络上，出现了一些"神回复"，有人说："成功多了，看见一次失败都奢侈。"也有人写道："想给中国航天一个安慰真不容易。"虽然，不少人对失利感到意外和可惜，但对于信息公开透明的做法，普遍表示了认同。公众对于这一次事故的评价，与以往相比，理性了许多。

诚然，火箭发射失败不是什么好事，这既是国家财产的巨大损失，也是科研人员人力精力的重大损失，可能给航天事业的发展带来严重的负面影响，反思、总结自然是少不了，甚至还要追究责任。但是，网络上出现的一些反应，却给人一种思考。这些近乎俏皮的留言，不一定完全正确，但大体是中肯的，显示出社

第 4 章
失败垒实成功路

会群体的心态正在变化，对事物的看法日益成熟。以前，国人对成败得失格外敏感，容不得半点失败。尤其那些被认为关乎国家形象、民族尊严的大型体育比赛，有的运动员拼尽了全力，但竞赛结果不理想，也常会引起社会舆论的质疑，甚至无理的谩骂。如1988年汉城奥运会，"体操王子"李宁发挥失误，与金牌无缘，赛后他对着镜头微微一笑，结果遭到了各方的苛责。以成败论英雄，成王败寇的陈腐观念，常常引发巨大争论。

图 4-7 长征三号

探索宇宙星空，充满了风险，中外航天历史上，发射火箭的事故或者航天器事故也有不少。苏联、美国等航天大国，都曾发生过重大事故，有的影响至今未能完全消除。

1986年1月28日，美国"挑战者号"航天飞机在执行第10次太空任务时，由于推进器上一个O形环失效，在升空后73秒时发生爆炸，航天飞机解体坠毁，机上的7名宇航员丧生，全球几亿人在电视中目睹了这一惨剧，震惊世界。

2003年2月1日，美国"哥伦比亚号"航天飞机第28次执行飞行任务，正在回航途中，突然与地面控制中心失去联系，在

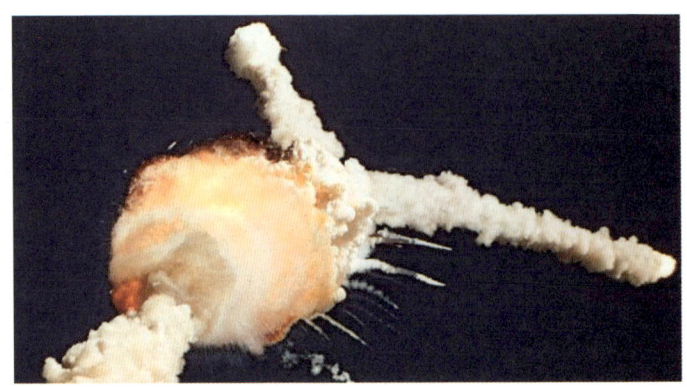

图 4-8 "挑战者号"升空失败

空中解体坠毁，7 名宇航员全部遇难。

　　这几次重大航天事故，严重影响了人类航天事业的进程，在人们心里造成了极大的阴影。

　　"十二五"期间，我国在航天技术领域发展的表现是可圈可点。一共成功发射了 86 箭 138 星，成功率达 97.7%，居世界首位。其中 2015 年共发射 19 箭 45 星，成功率达到 100%。然而，任何失败、事故，一定会引起人们深思，影响着航天事业的进程。

　　"强者"不是"从未失败"，而是"无惧失败"。中国作为重回世界舞台中心的大国，要大力培育这种追求成功、不惧失败的心态，理性冷静，包容大度。

　　科学探索是充满风险与危机的未知世界，时刻准备着面对失败。这本身应是一种科学理性的态度。可以预想，在向科技前沿进军的过程中，或大或小的失败会接踵而至，而且越追求卓越，越是迈向尖端领域，遭遇"折戟"的概率也就越高。如果以成败论英雄，一味追求无差错、无失败，可能会适得其反，就像一盆冰冷的水，浇灭创新的星星之火。鼓励创新、宽容失败，让勇于探索未知的梦想家、拓荒者放下心理负担，解除后顾之忧，创造力的源头活水才能充分涌动。

当然，宽容失败并不是放弃对成功的追求，也不是甘于平庸懒散，而是面对激情拼搏之后的失误，能给予鼓励、理解和包容，为再次出发送上祝福。理性看待得失，保持从容自信，这才是国民走向民族复兴应有的心态。越能够宽容失败，就越能显示社会的成熟大度，能促使国民进行持续性的创新研究。缺乏宽容失败的氛围，会带来创新行为的严重扭曲，或因循守旧而缺乏创新活力，或强化追求短期利益的实用主义、急功近利的心态，甚至弄虚作假，造成学术不端行为。

许多科学家认为，结果失败不等于项目研究就失去价值，对于创新而言，失败的结果可以理解为项目成果的另一种体现。充分挖掘"失败价值"，建立"失败项目数据库"等，将实验过程、数据、结果等信息汇集起来，加以研究，找出原因，避免重复犯错，将会有效地促进创新能力的提升。

1. 你的学习工作中一定遇到过失败，你是如何应对的呢？

2. 科学研究是一个探索的过程，充满未知因素，正确对待失败至关重要，你是如何评判失败的呢？

第 5 章

站在巨人的肩膀上

科学的背后

　　科学研究对自然世界的探索过程，有其特点，尤其是客观性。科学研究对象是客观的存在，科研人员需要逐步认识、了解事物的真相，不断揭示客观规律。在科研过程中，需要恪守以事实为依据的原则，需要对研究的对象进行多方面、多角度的不断验证、试错，最后获得实验的证明，才能成为科学的结论。

第5章
站在巨人的肩膀上

科学是一场接力赛

科学研究的对象极其广泛，宇宙星空，自然万物，大地海洋，有着无限广阔的空间。一代又一代的科学研究者，前赴后继，不断对研究对象进行探索，获得知识，不断充盈科学知识的宝库。这是持续不断的过程，就像运动场的接力比赛，从前人手中接到接力棒，一棒又一棒地传下去，共同完成一段又一段科研历程。英国物理学家卢瑟福说："科学家的成就不是依赖于某个人的思想，而是综合了成千上万人的智慧，所有的人想一个问题，并且每人做它的部分工作，添加到正建立起来的伟大知识大厦之中。"

在科学研究中，科学家经常对前人的研究成果进行更加深入的研究，对未知现象、未来发展趋势等进行大胆预测，提出一些猜想、假说等，从而指明未来科学研究的方向，吸引更多科学家进行研究，以推进学科发展，获得更多的科学知识。数学界著名的"三大猜想"故事，就是由一代代数学家不断证明推理，从而推动数学不断向前发展的故事。

第一个是"费马大定理"。它于300多年前被法国数学家皮埃尔·费马提出，挑战了人类三个多世纪，让众多拥有杰出大脑的人类耗尽精力，让千千万万爱好者痴迷不已。1993年，童年时代就痴迷于此的英国数学家安德鲁·怀尔斯，潜心7年，精心研究了20世纪数论所有的突破性成果，宣布证明了费马大定理，震动世界。这个证明体系，是千万个深奥数学推理，连接成千个最现代的定理、事实和计算所组成的逻辑网络。1995年，怀尔斯的论文《模椭圆曲线和费马大定理》发表在《数学年刊》上，成为了数学史上的一个奇迹。

第二个是"四色猜想"，即"任何一张地图只用四种颜色就能使具有共同边界的国家着上不同的颜色"。

图 5-1 费马

这个在1852年由英国数学家弗南西斯·格思里提出的猜想，历经摩尔根、汉密尔顿、凯利、肯普等几代数学家的拼搏思考，绞尽脑汁，前赴后继进行科学探索。1976年，美国人哈肯和阿佩尔合作，利用两台不同的电子计算机，花了整整1200多个小时，作了100多亿次的判断，宣告完成了四色定理的证明，轰动了世界。

第三个是"哥德巴赫猜想"。1742年，德国数学家哥德巴赫给数学家欧拉的一封信中提出了猜想："任一大于2的整数都可写成三个质数之和。"这个数学猜想的证明难度远远超出人们的想象，被喻为"数学王冠上的明珠"。中国数学家陈景润在十分艰苦的科研环境中，矢志不渝，坚持几十年，在1966年证明了"任何一个足够大的偶数，都可以表示成两个素数之和或者一个素数及一个2次殆素数的和"，即著名

图 5-2 哥德巴赫

第5章
站在巨人的肩膀上

的"1 + 2"。这一成果，为证明"哥德巴赫猜想"奠定了重要基础。

数学界的猜想还有许多，每一个都充满着谜一样的色彩，让无数数学家痴迷。2000年5月24日，克雷数学研究所宣布，对7个"千禧年数学难题"，包括庞加莱猜想、黎曼假设、杨－米尔斯规范场存在性和质量缺口等世界性难题，每一个悬赏100万美元，激励全世界科研人员进行攻关。

科学的发现永无止境，是不断前进、不断探索、不断积累的过程，而科学的每一个进步，都是不断向真理曲折前进的过程。求真不已，不断探索，是科学精神的核心内容。

科学研究具有系统性、创造性等特点，系统性要求科学研究采用系统的方法，注重事物之间的联系，从一个明确的问题开始，直到结论的获得为止。科研的过程，必须严格按照步骤，有系统性地进行科学探索，遵守一套规范化的行为方式，绝不是随意、盲目、偶然的。一代代科研人员，必须严格按照明确的方向、规程进行研究，才能持续几年、几十年甚至更长的时间，进行连续系统的研究，才能接近事物的真相，获得科学进展。这种系统性，保证了科学发展的正确方向。

正如牛顿所说，他之所以能获得这么大的成就，是因为他站在了巨人的肩膀上。科学史上所有的成功者，都是在前人的基础上获得成功的，前赴后继，薪火相传，推动科学发展不断向前。

科研是合作精神的体现

现代科学研究，是庞大的系统工程，涉及广泛的领域、时间、空间，只依靠个人的知识、精力、能力都是远远不够的。一个领域可能涉及众多的学科知识，需要大量人才共同参与、共同研究、合作攻关，才能取得科学研究的重大突破。现代学科发展越来越显现出交叉、融合、综合性特征，不同学科的科学家之间共同协作完成一项科研工作的情况，比以往任何时候都多，在应用研究领域更是如此。有一个不争的事实，近些年诺贝尔奖的颁发往往是一项奖同时授予几个科学家，这也说明，现代科学研究往往需要更多人参与，才能创造出卓越的成果。

凡是过往，皆为序章。在一项持续的研究中，以往的一切努力，都是在为未来的同一个目标的实现打基础，在这个过程中有过客，有碌碌无为者，在历史的记录本上或许不会有他们的名字，但他们是胜利的前奏和铺垫，为最后的闪耀做着准备。如果没有前人与后人的共同努力，没有一个系统完备的进程，科学研究的成功也是不可能实现的。

孙子兵法中写道："上下同欲者胜。"《淮南子》中写道："用众人之力，则无不胜也。"讲的都是一个道理，即合作共赢的道理。

冬天，北方大地开始变冷，大雁南飞是一种常见的自然现象。如果你仔细观察，可以发现：雁阵经常排成一字形或人字形，有序地向南飞翔。一字形雁阵，一般见于风和日丽、气压平稳之时；

图 5-3　大雁迁徙

而人字形出现时，一般是气流强大、阻力增加的时候。这时，需要有一只领头雁在前面飞翔，猛烈地扇动翅膀，在后方形成一个气流回旋的环境，大雁依次排列，跟在后边的大雁，会借到同样的力量，减小了飞行阻力。这种雁阵，营造了有利飞翔的环境，但头雁需要克服更大的阻力，因此领头雁需要经常更换。风洞实验表明，人形雁阵整体的飞行速度是单只大雁的 1.71 倍。相互支持、合作共赢的团队精神，在大雁飞行的现象中也得到体现。

如果将科学研究比作大雁飞翔，那么科学研究也需要有一个合适的雁阵，形成合作团体，互相支撑，实现目标。

合作是一种态度，更是一种智慧。成长不仅是自己的事情，当一个人借助别人的力量时，他可能会得到更快的成长。如果一个人还没有借助到别人的力量，这可能就意味着他们合作得还不够。

科学研究也是一种集体行动，需要强烈的团队意识、合作意识。现代的重大科技研究项目，很少再有个人单枪匹马独立完成的情况，而是需要几个、几十个甚至成千上万的科研人员共同参与、协作完成才能获得突破。如在航空航天工程、基因工程、人工智能、现代通信等综合性强的技术领域，专业合作、整体统筹、团队精神已成为越来越重要的因素。即使是获得诺贝尔奖的大科学家，他背后也一定有大量做基础研究的合作者。他们的作用或许是一个方面的、具体的，或者是相对次要的，但都是不可或缺的。当今大量的科学现象以及大量数据的获得、测定等，不再是一个科学家在实验室里独自一人就能完成的任务。

现代科学综合了许多学科庞大的知识体系，涵盖了多种学科的知识，一个人在知识结构、精力、能力等方面的力量，都是有限的，在其中发挥的个人作用是片面的，因此团队合作在科研中占有了更重的分量。个人的智慧汇成集体力量，才是获得成功的重要前提。

2015年，中国首位诺贝尔生理学或医学奖得主屠呦呦在颁奖仪式上，发表题为《青蒿素——传统中医给世界的一份礼物》的演讲，她动情地说："诺奖不仅是授予我个人的荣誉，也是对全体中国科学家团队的嘉奖和鼓励。"在近30分钟的演讲中，她多次提及团队合作精神，强调"没有相

图 5-4　屠呦呦获诺贝尔奖

互之间无私合作的团队精神，我们不可能在短期内将青蒿素贡献给世界"。为了向在场听众准确展示当年抗疟研究团队的合作情况，她特地制作了一份图表，分蓝色和白色，蓝底表示的是她所在团队完成的工作，白底表示的是其他协作团队完成的工作。

屠呦呦获得诺贝尔奖，是中国科技发展的骄傲。她诚恳地谈到合作的重要性，不只体现了谦虚，更说明了一个道理：重大科研项目的成功，需要合作精神。

电影诞生的启示

说到科学家、工程技术人员合作开展研究而获得的重要成果，电影就是早期案例。

电影是19世纪最为神奇的发明之一，从最初的无声电影、有声电影，到现在的3D电影、4D电影，它让观众体验到快乐、欢喜、忧愁、悲伤等情绪，极大地丰富了人们的精神生活。电影从诞生到如今的发展，是一代代艺术家、科学家、工程技术人员共同努力的结果，他们在前人的基础上，不断进取，获得了新的进步。

1872年的一天，在加利福尼亚州一家酒店里，人们正围绕"马在奔跑时蹄子是否都着地"展开了一场激烈的论战。有的说，马在奔跑跃起时始终有只蹄子着地；有的说，马在跃起的瞬间四只蹄子都是腾空的。大家争得面红耳赤，于是决定打赌。他们到了跑马场，想当场看个究竟，遗憾的是，马奔跑速度太快，根本无法看清马蹄是否着地。英国摄影师麦布里奇听说了此事后，表示有办法解决。他在跑道一边并列安置了 24 架照相机，镜头对准跑道，在跑道的另一边，打了 24 个木桩，每根木桩上都系上一根细绳，这些细绳横穿跑道，分别系到对面每架相机的快门上。一切准备好了以后，麦布里奇让马从跑道的一端奔跑过来。当马经过设有照相机的路段时，依次把 24 根引线绊断，照相机依次拍下了 24 张照片。从这条连贯的照片带上，可以清楚地看出，马在奔跑时总有一只蹄子是着地的。

麦布里奇还发现了另一个更有趣的秘密，快速抽动那条照片带，马竟然"活"起来了，照片中静止的马就成了一匹运动的马。聪明的麦布里奇觉得很有趣，就把这些照片做成透明的，按

图 5-5　麦布里奇拍摄的奔跑中的马

顺序均匀地贴在一块玻璃圆盘上，又做了另一块同样尺寸的金属圆盘，对应着贴照片的位置，开了一个和照片大小相同的洞，用幻灯片的形式向白幕放映，使两块圆盘相互反转起来。这一下，就能看到马奔跑的连续动作。他兴奋地把这个机器取名为"显示器"，人类有了一个记录动态影像的仪器。这个发明利用了人眼的视觉暂留效应，即人的视觉反应能在脑中滞留很短的一段时间，一张张静止的照片，如快速旋转，相邻两张照片就能在大脑中连贯起来，画面就"活"了。

第一部可以重现过去事件的电影诞生了，虽然它只相当于一段连续记录镜头而已。

随后，大发明家爱迪生登场了，他受到显示器的启发，很快制成了第一台"放映机"。它的形状像一个长方形柜子，上面装有一只突起的透视镜，里面装着蓄电池和带动胶卷的设备；胶片绕在一系列纵横交错的滑车上，以每秒46幅画面的速度移动；并在影片通过透视镜的地方，安置一面大倍数的放大镜。当观众从透视镜的小孔里观看时，急速移动的影片会在放大镜下构成一幕幕活动的画面。1894年4月，第一家电影院在美国纽约市百老汇大街正式开业，这个电影院只有10架放映机，每场只能卖10张票。人们以一睹"电影"为荣，电影院前变得人山人海。

但这种"电影"不能投影于荧幕上，图像也不清晰，因此观众数量很有限。它的工作原理是使胶片不停地经过片门，而不是以"一动一停"的方式（即在胶片运动时遮住片门，而当胶片不动时打开片门）。因此爱迪生对自己发明的放映机很不满意，很想解决胶片传送方式的问题，但一时束手无策。

图 5-6　爱迪生与放映机

电影史上最重要的发明的接力棒，交到了法国人奥古斯特·卢米埃尔和路易斯·卢米埃尔兄弟手上。他们俩对电影的研制很感兴趣，希望攻克爱迪生遇到的难题，发明出真正现代意义上的电影。1894 年的某天深夜，路易斯仍在设计胶片传送的模拟图，窗外不时传来隔壁女主人在赶制衣服的机器声。他忽然想到，缝纫机缝衣服时，衣料不正是做"一动一停"式前进吗？当缝纫机针插进布里时，衣料不动；当缝纫机针缝好一针向上收起时，衣料就向前挪动一下，这跟胶片传送的要求不是很相像吗？

第5章
站在巨人的肩膀上

他兴奋地把这一发现告诉了奥古斯特,认为完全可以模拟缝纫机压脚那样的机械原理,拉动胶片前进。当这个牵引机件再次上升的时候,尖爪便在下端退出洞孔,而使胶片静止不动。兄弟俩兴奋了一夜,经过多次试验,证实路易斯的想法果然可行。

1895年12月28日,路易斯·卢米埃尔放映了《工厂大门》和《火车进站》等影片,宣告了现代电影的诞生。

这时的电影,依然没有声音、没有色彩,人们风趣地称之为"伟大的哑巴""色盲世界",形象地体现了人们对电影技术改进的强烈期待。一直到1926年,人们才开发出一种被称作"维他风"的唱片伴音系统,拍出了第一部带有声音的影片《唐璜》。次年,华纳又推出了《爵士歌王》,这部影片不仅有音乐,还加入了一部分对白。

图 5-7 卢米埃尔兄弟

图 5-8　电影《工厂大门》

到这时，现代电影技术完全成熟，距离麦布里奇发明电影已有半个世纪之久。有声电影诞生之后，彩色电影、全景电影、3D 电影也应运而生，如今还出现了 4D 电影。随着科技的不断进步，电影给人们带来了越来越高的艺术享受。

一项发明创造，可能是许多科学家共同努力的结果，有的需要几代人前赴后继，才能创造今日的辉煌。电影是如此，许多其他的发明创造，也是如此。

科学需要严格的验证

如今，正在大力推动科技创新的中国，每一天都有新的技术诞生，有些还会引起世界的关注，但科技发展的道路大多是曲折的。

韩春雨事件可以算是 2016 年最大的科技新闻之一。2016 年 5 月 2 日，河北科技大学副教授韩春雨的课题组在国际顶级期刊《自然－生物技术》上发表了关于新基因编辑技术 NgAgo-gDNA 的论文，描述 NgAgo（来自格氏嗜盐碱杆菌的一种蛋白）核酸内切酶能够对基因进行有效编辑，在效率上可以与 Cas9-sgRNA 切割哺乳动物基因组 DYRK1A 位点相媲美，并理论上精确度更高。中外媒体一时轰动，认为这是一项诺贝尔奖级别的科研成果。

可是，之后的进展让人大跌眼镜。国内外很多科研机构、高校实验室宣称，经过研究试验，未能重复出 NgAgo 系统可以编辑基因的结果。《自然－生物技术》启动了对该论文真伪性的调查。面对种种质疑，韩春雨团队对结果无法重复的原因进行实验研究，作出了辩解，认为重复实验失败是实验材料被污染所致。但是，各种质疑的声音依然不断，认为这个解释缺乏说服力和科学依据，希望尽快在学术范围内有一个明确的结果。

2017 年 8 月 3 日，《自然－生物技术》发表了题为《是该数据说话的时候了》的文章，宣布撤回该期刊的论文。据说论文撤回，是韩春雨主动申请的。

事实证明，科学家通过怀疑与反复验证，在严谨的前提之下，才能发现真理。

严谨不仅仅是一种态度，还是一种胸怀。哈佛大学干细胞研究中心教授道格拉斯·迈尔顿在自己的成果受到同行质疑后，立刻与第三方实验室合作进行验证，实验结果表明，结论确实是错误的。他就主动撤销了发表在《细胞》上的论文，并为此道歉，认为科学发展的道路不平坦，需要大家共同努力。

在科学史上，关于如何对待科学研究结果才是理性的、实事求是的、客观公正的，一直存有争议。

《自然》杂志的资深编辑亨利·吉说，科学不是关于真理的，它是关于怀疑的；不是关于确定性，而是关于不确定性的。有人对世界一流学术期刊上的53份里程碑式的论文成果进行重复性研究，发现其中47项结果无法重复，不能重复的概率达到88.68%。2013年11月，《科学美国人》指出，对100项心理学研究进行的重复性研究表明，61%的心理学研究无法重复。2017年1月，有研究人员发文称，对《细胞》《自然》《科学》杂志上发表的5项癌症临床前研究的成果进行了验证性实验，没有一个研究结果能够被完全重复，研究中的发现无法确认。

科学的发展永无止境，前人取得的成果也未必正确完善，这是科学的特点决定的，只有秉持这样的观点，才能不断将认识世界的能力向前推进。现有知识体系和相关结论，只证明现在的状态，对于将来的发展，应该有新的认识、新的发现。新知识、新发现可能颠覆现有的结论，当然也会有新的阐述。

正如人类认识地球是一个曲折的过程。14世纪以前，欧洲人普遍相信托勒密提出的地心体系，认为地球居于宇宙中心，日、月、行星和恒星围绕着它运行。随着人们认识水平的提高，天文观测技术的进步，哥白尼提出太阳才是宇宙的中心，"日心说"的出现，轰动了整个世界。在今天看来，太阳当然不是宇宙的中心，包括太阳系所处的银河系，也不是宇宙的中心，它们都是茫茫宇宙中一个小小的部分。人类探索宇宙的脚步没有停止，对于世界的认识还在发展。对于微观世界的认识也是同样，从原子、分子时代到进入粒子时代，观测方式、实验手段的丰富与技术的提高使得人们的认识还会不断加深。

1. 科学合作精神还表现在许多方面，你能举一两个例子吗？

2. 正确对待失败，是科学文化建设的重要内容。对此你有什么好的建议呢？

第6章

好奇是创新的不竭源泉

人们常说，"眉头一皱，计上心来"，"一拍脑门，豁然开朗"。在工作或生活中，人们经常会有一种灵光乍现的感觉，在某个时刻迅速有效地找到解决问题的办法。研究表明，这种说法有一定的道理，因为启动灵感的部位叫"前扣带回"，它靠近脑门，如果前扣带回受到刺激，就可能激发灵感产生。其实这种神奇的感觉，是由于长期思考观察的积累，在特定的时间，或某个场景触发，让人获得认识上的全新飞跃。发明创造过程中，经常会有这样的触点，这是完成创新的神奇第一步。这种灵感的获得，与科学家强烈的好奇心、坚持不懈的探索精神紧密相关。

第6章 好奇是创新的不竭源泉

拥有强烈的好奇心

心理学认为，好奇心是当动物处于对某事物全部或部分属性的认知空白时，本能地想认识此事物属性的内在心理。人或动物在与周边环境相处时，会发现许多未知的空间或领域。因此人们需要不断获得探索的结果，获得心理或食物方面的满足，以及拓宽生存空间的可能性。观察表明，好奇心越重的动物，生存能力越强，它们不断探索各种物质的属性，获取了更多的知识来应对周边环境的变化。

人类最初的好奇心表现为婴儿的探究反射，婴儿一旦发现新奇事物，就会用手触摸，用舌头品尝。到了幼儿期，好奇心更加强烈和明显，他们通过动作和语言来表达自己对周围世界的关注，这种好奇与关注最初是情景性的，如果受到鼓励与强化，就会变成认知与情感的结合。中国现代教育家陈鹤琴说："好奇心对于幼儿之发展，具有莫大作用，幼儿凡见到一切新的东西就产生出好奇心，一好奇就要与新东西相接近。"对外部世界的强烈好奇，可以促进幼儿大脑的迅速发育。正因如此，世界一流的教育专家都认为，要加强对好奇心的培养。美国学者希克森·特米哈伊在谈到构成创造性人才的因素时强调，"通往创造性的第一步，就是好奇心和兴趣的培养"。他认为，所有的孩子都有好奇心，但能否保持到成年，很大程度上取决于早期的好奇心是否受到鼓励。好奇心驱使下的行为如果能得到更多的鼓励与支持，就会逐渐内化为幼儿的人格特征。反之，这些行为则会逐渐消退，表现为对新奇事物的冷漠、回避等心理倾向，从而不利于创造性人格特征的形成。

充满好奇心是创造性人才的重要特征，这已是不争的事实。许多科学家、作家等都对好奇心有着相似的理解，认可在创新发明过程中，拥有强烈的好奇心是一种优良品质。居里夫人说，好奇心是学习者的第一美德。爱因斯坦说，好奇心是科学工作者产生无穷毅力和耐心的源泉。他把自己取得的成功，归因于自己具有狂热的好奇心。他说："谁要是不再有好奇心，也不再有惊讶的感觉，谁就无异于行尸走肉，其眼睛是模糊不清的。"美国作家、评论家约翰·曼森·布朗用诗一样的语言赞美好奇心："感谢上天，没有让我的好奇心硬化！它让我渴望知道大大小小的事情，它如钟表的发条，发电机、喷射机的推进器，给了我全新的生命。"

许多科学家把自己的成功归因于童年时代好奇心的"壮举"。动物行为学家珍·古道尔说："闷热的鸡窝常常和我们儿童时代的记忆交织在一起，小时候，我曾钻进鸡窝一直待了五个小时，为的是看看母鸡究竟是怎么下蛋的。"这也让我们想起了少年爱迪生学母鸡孵蛋的故事，天真而有趣，这一直是人们心目中的"奇人奇事"。地质学家李四光小时候常常对老家周围的一些巨石充满遐想，时常向大人发问，为什么这里会出现这样多孤零零的巨石？是用什么东西把它们搬运到这儿来的呢？他对这些问题追根究底，一直持续了几十年，最终弄明白了，这是冰川的浮砾，即第四纪冰川移动的遗迹。

如果没有好奇心和纯粹的求知欲为动力，就不可能产生那些有巨大价值的发明创造。一部科学创新发现史，其实就是一部不断使好奇心得到满足的求证史、探索史和发现史。

化学家发现了色盲

在医院做体检时，眼科医生往往会拿出一本有着各种颜色或图案的本子，让体检者分辨上面的图案或颜色。这种检查眼睛分辨颜色能力的方法，可用来判定一个人是否患有先天性色觉障碍。人可能患有色盲这一现象，是谁最先发现的呢？这就与一位科学家强烈的好奇心有关。

色盲是一种眼部的遗传性疾病，色盲的人不能分辨自然光谱中的各种颜色或某种颜色。而能辨认颜色但对颜色的感受性较差的，则称为色弱，色盲与色弱多为先天性因素导致。色盲分为全色盲和部分色盲（红绿色盲、蓝黄色盲等），全色盲属于完全性视锥细胞功能障碍，表现为昼盲，七彩世界在其眼中是一片灰暗，如同观看黑白电视一般，仅有明暗之分，而无颜色差别，所见红色发暗，蓝色光亮。如果是红色盲，患者不能分辨红色，对红色混杂的深绿色、蓝色、紫红色等也不能清晰分辨。而绿色盲患者不能分辨淡绿色等，把绿色视为灰色或暗黑色。临床上把红色盲、绿色盲统称为红绿色盲，这类色盲患者较常见，平常说的色盲一般就是指红绿色盲。

在一个美术班上，有位小朋友画画很好，却总是把太阳画成绿色，树冠、草地画成棕色，老师和家长都责备他怎么会这样，他却一直觉得自己画的是对的。原来，他是绿色盲患者，看不清绿色。色盲作为一种先天性缺陷疾病，会给工作带来很大的不方便，有时甚至会造成灾难。曾有报道说，一个色盲患者当上了火车司机，因为看不清红色信号灯，造成了火车相撞的重大事故。因此，分辨色盲与否，有着重大的意义，一些特殊的岗位，需要进行颜色辨别的工作，如进行实验、观察的岗位，就不能聘用色盲患者。

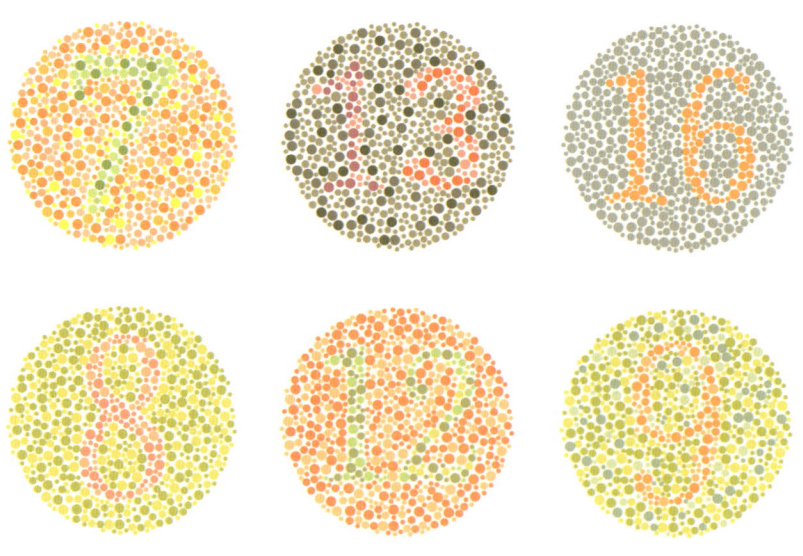

图 6-1　色盲测试卡

第6章
好奇是创新的不竭源泉

有趣的是，色盲这样的纯粹医学问题，却不是由医生或医学研究者最先发现的，而是一位研究化学与物理的学者发现的。在好奇心的强烈驱使下，他寻根问底，最后证实了色盲现象的存在。这个人就是英国著名科学家约翰·道尔顿。

道尔顿出身贫寒，从小对科学十分喜爱。在一位盲人哲学家的教育和引导下，他学习了大量科学知识，在科学领域做出了重大成就，如创新了原子学说，被称为"近代化学

图6-2 约翰·道尔顿

之父"。他在物理学、气象学等方面也有突出贡献。而在无意中发现了色盲现象，是他科学生涯的一件趣事，成为好奇心触动科学发现的一个经典案例。

有一年冬天，正值圣诞节前夕，孝顺的道尔顿买了一双棕灰色的袜子，专程送给母亲。可是母亲却说，为什么给她买一双樱桃红的袜子啊。道尔顿听了，觉得很奇怪，自己明明买的棕灰色的袜子，母亲怎么会说是樱桃红的呢？究竟谁弄错了呢？他不认为母亲是在和他开玩笑，而对此产生了疑问，觉得这里面一定有问题。爱好钻研的道尔顿，有着顽强的个性，遇到不明白的事，一定要打破砂锅问到底。

于是，他就拿着袜子去问周边的人，结果发现，除了弟弟与自己的看法相同以外，其余的人都和他母亲一样，说袜子是樱桃红色。道尔顿觉得，这件事很不寻常，好奇心也越来越强。经过

认真的分析与比较，他终于发现，弟弟和自己的色觉与别人不同，不能看清楚红色，所以他将樱桃红的袜子当作棕灰色袜子买来了。最后他判定，他与弟弟都有色盲症。道尔顿虽然不是生物学家或医学家，却是第一个发现色盲的人，也是第一个被发现的色盲患者。

之后，他完成了医学史上第一篇关于色盲的论文《论色盲》，阐述了色盲这一现象和其基本原理。人们为了纪念他，把色盲症也叫作道尔顿症。

他有关色盲的传奇故事一直延续着。1844年7月26日，孤独一生的道尔顿在写下了他最后一篇气象观测记录后，突然从床上掉到地上。等到人们发现时，他已去世。道尔顿一直希望，在死后能对他的眼睛进行检验，找出色盲的真正原因。1990年，科学家对保存在英国皇家学会里的他的一只眼睛进行DNA检测，发现缺少对绿色敏感的色素。在道尔顿去世近150年后，人们终于给他的色盲原因交出了一个科学而准确的答案。

设想一下，如果道尔顿是一个粗心的人，忽视了这个颜色问题，那么色盲的发现，可能要推迟更长时间，也许因为色盲而导致的悲剧会更多。道尔顿具有一个科学家应有的优秀品质，一个偶然发现的问题也能激起他强烈的好奇与关注，正是在这种好奇心的驱动下，他潜心研究，终于发现蕴含其中的奥秘，给人类带来了福音。

第6章
好奇是创新的不竭源泉

留下"遗憾"的发明

强烈的好奇心，往往能给科学研究者带来重大科学发现，让他获得许多荣誉。但是科学史上，也有一些人由于各种原因，对一些细枝末节的现象缺乏强烈的好奇与关注，没有寻根究底，导致与一些重大发明失之交臂，成为人生中的一件憾事。

化学家尤斯图斯·冯·李比希的经历，就具有这样的戏剧性。李比希于1803年5月12日出生在德国达姆施塔特。他创立了有机化学，发明了现代面向实验室的教学方法，被誉为最伟大的化学教育家之一。由于发现了氮对于植物营养的重要价值，他又被称为"肥料工业之父"。

李比希出身于一个贩卖化学药品、香水和清洗剂的商人家庭，从小对化学有着浓厚的兴趣，经常用作坊里的药剂进行试验。当时他最感兴趣的，是制作鞭炮，有一次竟然将衣服都烧着了，却依然乐此不疲。他科研生涯中有许多杰出的贡献，但也有最为遗憾的经历，由于轻率

图6-3　李比希

地下了一个结论,他将一项重大科学发现留给了他人,这就是发现溴元素的故事。

有一次,李比希把海藻烧成灰,用热水浸泡,再往里面通氯气,提取出海藻里面的碘。做实验时,他发现在烧杯残渣底部,总是沉淀着一层褐色的液体,并能闻到一股刺鼻的臭味。他重复做这个实验,每次都得到同样的结果。这种液体是什么呢?李比希想,这些液体是通了氯气后产生的,应该是氯气和海藻中的碘产生化学反应,生成了氯化碘。他不假思索地在这些液体的瓶子上,贴了标签,并写上"氯化碘"这几个字。

几年后,李比希看到了法国人波拉德写的一篇论文《海藻中的新元素》,细细地阅读后,竟然陷入了极度的懊悔之中。原来,波拉德做了一个和李比希同样的实验,也发现了那些褐色的液体。但波拉德没有停止实验,而是将这些褐色的液体与其他元素进行对比,最后断定,这是一种未被发现的新元素。波拉德兴奋极了,为它起名"盐水",即新元素"溴"。《海藻中的新元素》这篇文章,就是关于发现溴的论文。

李比希为自己的轻率而懊悔不已。他在沙发上默默地坐了许久,站起来把那张"氯化碘"的标签,从瓶子上小心翼翼地揭下来,装进一个大大的镜框里,挂在床头正中。从此以后,他每天都要看一遍,还经常邀请朋友们看,讲述自己的失误。在自传中,他写道:"从那以后,必需有非常可靠的实验作根据。我再也不凭空地自造理论了。"

李比希说到做到,以更加认真、更加严谨的态度投入科研之中。有一次,他到一家化工厂考察,工厂正在生产名叫"柏林蓝"

的绘画颜料。工人们把溶液倒入大铁锅后,一边加热,一边用铁棒用力地搅拌。李比希看到工人们搅拌时非常吃力,好奇地问:"为什么要这样用力搅拌呢,还发出这么大的声音?"工长告诉他:"搅拌的响声越大,柏林蓝的质量就越高。否则,产品就

图 6-4 李比希与柏林蓝

不合格了。"李比希没有放过这个有趣的问题,他反复思考琢磨,用力搅拌与颜料质量有什么关系呢?他就动手实验,反复验证,终于找到了原因。原来用铁棒在铁锅里搅拌,发出响声,实际上是使铁棒与铁锅摩擦,落下一些铁屑,铁屑起催化剂作用,从而改变了颜料性质,提高了"柏林蓝"的质量。他进一步设想,如果在溶液中加入含铁的物质,就不必用力磨蹭铁锅,同样能提高产品质量。李比希把他的想法告诉了工厂,工人按照他的话去做,果然提高了颜料质量,减轻了劳动强度,效果事半功倍。

李比希不愧为伟大的科学家,善于接受教训,善于在异常中发现问题,通过实验找出答案,因而成为了化学史上的一位巨人。

与李比希的终身遗憾相近似的,还有约里奥·居里夫妇的故事。约里奥·居里是著名科学家居里夫人的女婿,是一位核物理学家、化学家,同时,也是一位闻名于世的"世界和平卫士"。

约里奥·居里在担任巴黎理学院讲师期间,与妻子伊蕾娜·

居里合作研究原子结构，主攻原子射线。可是，他们两次与诺贝尔奖失之交臂，将几乎到手的重大发明拱手相让，被认为是科技史上最大的憾事。

1932年，约里奥·居里夫妇在实验中用α粒子轰击元素铍、锂、硼等元素时，发现一种很强的射线，这种神秘的射线击破了氢原子核，其效果是电磁波所不能具有的。当时，科学界认为这是一种新的粒子，其质量同质子相近，不带电荷，所以具有高度的穿透力。1932年，英国科学家查德威克用α粒子轰击硼、铍原子，证实了这种新粒子的存在，把它命名为中子，并公开发表相关成果。原子物理学中一项极为重大的成果——中子被发现了，1935年，他凭借这一成果，获得诺贝尔物理学奖。

更为遗憾的是，约里奥·居里夫妇最早观察到正电子的轨迹，但同样未引起足够重视，未能正确识别并向外公布。1932年8月，美国科学家卡尔·戴维·安德森也观察到正电子，并凭借这一重大发现，获得1936年诺贝尔物理学奖。

上天是公平的，不会让同一个错误出现三次。1934年，约里奥·居里夫妇用α射线轰击铝箔，发现铝箔具有了放射性，其强度随时间按指数规律下降，这就是人工放射性原理。后来，他们还发现了其他由α粒子所引起的核反应生成的人工放射性同位素。由于这一发现，他们夫妇获得了1935年诺贝尔化学奖，弥补了前两次错失世界顶级科学大奖的遗憾。

如果不是因为对新现象的重视程度不足，对于前两项缺乏合理解释的重大发现，或许约里奥·居里夫妇会进行更深入的研究，他们就有望获得两个诺贝尔物理学奖，那科技史就会发生重大的

第6章
好奇是创新的不竭源泉

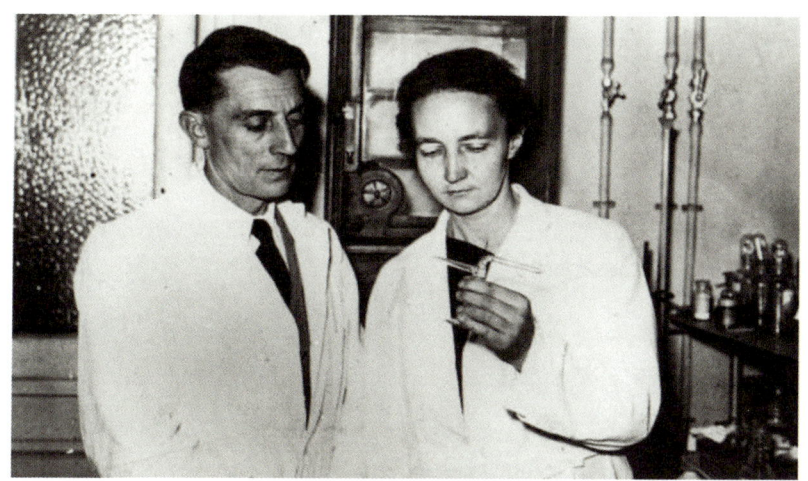

图 6-5 约里奥·居里和夫人伊雷娜·居里

改写。

当然，历史不能假设，科学发现与人们的认识、技术水平有着密切关联，也与当时科学共同体的文化传统有关。17世纪以来，科学界有一种不成文的约定，要求科学家自觉做一个"克制的见证人"。科学家波义耳说过，科学家要克制地描述自己在实验中所观察到的东西，而不去下跳跃式的结论，或者急于建立缺乏依据的关联，由此能避免主观判断和情绪影响科学研究。长期以来，正是这种"克制见证人"的形象，保持了科学研究的客观、中立、权威的形象。科学研究是老老实实的学问，容不得半点虚假。约里奥·居里夫妇这种严谨、诚实的态度，正是科学精神所在。

科学中的巧合与遗憾，也许正是探索未知世界所特有的过程，也正是科学研究的乐趣和魅力所在。

触发创新的灵感

一般来说，灵感是指在文学、艺术和科技活动中瞬间产生的、富有创造性的意念，也称为灵感思维。它是人类大脑的一种特殊机能，是思维发展到高级阶段的产物，是人的高级感知能力，是从事发明创造的必要前提。

人的灵感无处不在，无论何时何地，也无论从事何种活动，都有可能闪现出灵感。人们需要的是一个"有准备的头脑"，及时捕获稍纵即逝的灵感。几乎每个人都有过灵感闪现的一刻，只是许多人缺乏准备和能力，在不经意中让灵感悄然溜走了。而每一个有志于发明创造的人，都会时刻准备着，把瞬间闪现的灵感紧紧地抓住，最后实现发明创造的目标。

人们生活在信息时代，工作、社交、娱乐、购物等都离不开手机，可谓"机不离手"，有人由此而产生了强烈的依赖症，一旦离开了手机，就会魂不守舍，心神不定。一部智能手机可以打电话、发信息、拍照、听音乐、看视频等，几乎无所不能。但你也许不知道，摩托罗拉总设计师马丁·库珀发明的第一款手机，外形非常笨拙，被称为"大哥大"，重量达1千克，且只有单一的通话功能。但是这一发明，改变了人类通信的历史，开创了无线电通信的新纪元。

库珀发明的灵感来自哪里？有一天，他正在看电影《星际迷航》，考克船长用一部无线电话与外界联系，看到这个镜头，库珀猛然"触了电"似的,大声叫喊起来:"这就是我要的!"经过3个月的潜心研究,他利用蜂窝技术发明了一种可移动电话。1973年4月3日,他站在纽约大街上,用他的无线电话拨通了在

图6-6 马丁·库珀与"大哥大"

贝尔实验室的竞争对手恩格尔的电话,兴奋地宣布他的发明成功了。从此,无线电通信时代到来。看电影时获得的灵感,开创了一个无线通信的新时代,够神奇了吧!

在轻松惬意的玩耍和游戏中,常常伴随着灵感的闪现,不要错过捕获那些稍纵即逝的灵感的机会。听诊器是医生常用的诊断工具,这个结构简单,看似十分普通的发明为许多医生解决了棘手的问题。这一发明,居然是从儿童做的一个小游戏里获得的灵感。

1816年9月13日,法国医生海辛特·雷奈克来到卢浮宫广场,看到几个儿童在做一个木杆传递声音的游戏,一个孩子在一根长圆木的一端说话,另一个孩子在木头的另一端听声音。他看到这里,猛然一惊,来了灵感,用纸筒做出了最早的听诊器。雷奈克在回忆录中写道:"1816年,我

图6-7 雷奈克

科学的背后

去探视一位年轻的女患者,她正因心脏病的症状而受苦,由于她体形肥胖,以手敲诊或触诊又起不了作用,而附耳于其胸口做诊断又不被风俗允许。我忽然想到少年时用

图6-8 听诊器

木杆传递声音的游戏,我的意思是,声音透过某些固体的传递,可以达到放大的效果。灵光一现之后,我立刻用纸卷成圆筒,结果一点也不意外,我听到心脏运动的声音,比我以前任何一次直接附耳于患者胸口来得更清晰。那一刻,我思索着,这是一个好办法,除了心脏以外,胸腔内器官运动所制造的声音,应该也可以使我们更确认其特性……"

一个卷起的纸筒,使临床医学向前迈进了一大步。这个平常的小物件,起初叫"医学小喇叭""独奏器",几经改进后,定名为"听诊器"。这个看似简单的发明,解决了医生诊断时的一个大难题。

科学史上,还有因为慈孝、悲痛、爱等情感体验,获得发明灵感的典型案例,被爱滋润的心也可以成为灵感诞生的沃土。

1996年诞生的克隆羊"多莉",研究者之一基思·坎贝尔,因为父亲患了糖尿病,双目几近失明,他希望能够利用克隆技术制造新药,以拯救父亲的生命。结果,他的研究,诞生了世界上第一只成活的克隆羊。同样地,检验胰腺癌的纳米试纸的发明,也是出于一片爱心。美国的杰克·安德鲁卡因为叔叔患了胰腺癌而

去世，他感到十分悲痛。过去，胰腺癌没有早期检测的方法，一旦发现就是晚期，也就等于宣布死亡。他决心要研究快捷的检测方法，并努力开展科学研究，最后，发明出用涂覆

图 6-9　克隆羊多莉

了间皮素的纳米试纸进行检测的方法，检验一次仅需 5 分钟，且费用低廉，准确率达到 90% 以上，给患者带来了福音。

一切场所和活动，如读书、旅游、散步、冲浪、洗漱、睡梦等，都是触发灵感的客体。灵感是怎样通过客体而激发出来的？这个途径就是好奇心和联想，好奇心是洞察灵感的"心灵捕手"，联想是全部思维活动的沟通机制。

真正实现成功的创新创业，必须具备一些发明者、创业者的基本素质，那就是：始终保持一颗强烈的好奇心，准确捕捉创新的灵感；有勤快的手脚，及时把灵感付诸实践；有一种坚持不懈、持之以恒的钻研精神，不屈于失败，不忘初心，一路向前，不达目的，决不回头。

1. 你一定做过有趣的梦，梦境里有什么？有什么重大发现吗？
2. 你对哪些事特别好奇呢？原因是什么呢？

第7章

科学史上的『无心插柳』

有一句俗语叫"种瓜得瓜，种豆得豆"，说的是世界万物变化都有内在规律性，因果相关。种什么就长什么，种下什么就收获什么，不会也不能有差错，如果出了差错，那就是违背了自然规律，讲不通了。

人们探索自然奥秘的进程是曲折而崎岖的，往往有一些异样的"风景"，呈现与人们设想、计划、目标、预测等不尽相同的结果。探索未知领域的过程，有着不确定性，失败的、出人意料的结局随时可能出现。事物都处在不断变化发展之中，一些原本预想的发展，后来却发生了质的变化，产生了不同的结果。对此也要持客观科学的态度，从不同的角度看问题。一些事物从这个角度看，是失败的，不成功的，换了一个角度，"柳暗花明又一村"，能够产生意料之外的结果，甚至比原先计划的更有趣，更有价值。

科学家的实验往往经过仔细观察，认真思考，小心验证，但即使如此，也经常有一些失误，明明想要发明这个，却出现了另一个结果。有时一个失败的实验，却有出乎意料的结果，可谓"有意栽花花不开，无心插柳柳成荫"。这种"有意"与"无心"的矛盾，正反映了事物变化发展的规律。科学研究与发明，总是充满着戏剧般的变化，有着许多令人惊喜的未知，等待人们去破译。

第 7 章
科学史上的"无心插柳"

紫罗兰的神秘色变

酸碱指示剂中有一种石蕊试剂，是检验溶液酸碱性的常用化学试剂，它遇酸变红，遇碱则变蓝，迅速而有效。有时还被做成石蕊试纸，将一滴待检测液滴在一片薄薄的纸条上，就会有神奇的变化，让人马上知道液体的酸碱性。这些知识，初中化学课里就能学到，同学们一定不会陌生。而这个实用试剂的发明，竟然是由一个实验中的小小插曲引起的，在一次实验中，紫罗兰花发生了神秘色变，引起了化学家的好奇，深入研究揭示了变化原理，从而发明了试剂。

图 7-1　紫罗兰花

科学的背后

这归功于化学家波义耳，他的善于观察、勤于思考、勇于探索，使一个偶然的小事件，成就了化学史上最有意思的发明。

熟悉化学史的人都知道，1661年被称为近代化学的起始年。为什么是这一年呢？因为罗伯特·波义耳所写的《怀疑派化学家》这本对化学发展产生重大影响的著作在这一年正式出版。恩格斯曾说"波义耳把化学确立为科学"，给予了很高的评价。

1627年1月25日，波义耳出生在爱尔兰的利兹莫城，家境优裕，为他的学习和科学研究提供了优越的条件。可是，命运多舛，他3岁时母亲去世，从小缺少关怀，体弱多病。一次患病时，由于医生开错了药，他差点丧命。从此，他不再相信医生，自修医学，寻找药方、偏方为自己治病。那个时代的医生都是自己配制药物，所以研究医学也必须研制药物和做实验，从此他对化学实验产生了浓厚的兴趣。他生活在英国资产阶级革命时期，这是近代科学诞生的时代，也是一个巨人辈出的时代。在他诞生的前一年，著名思想家弗朗西斯·培根去世，物理学家牛顿比他小16岁，伽利略、开普勒、笛卡尔等科学大师，都生活在这一时期。他的一生几乎都在实验室中度过，整日浑身沾满了煤灰和烟，全身心地投入化学实验之中，直到1691年底离开人世。

图7-2 波义耳

第7章
科学史上的"无心插柳"

波义耳常说，想做好实验，就要敏于观察，许多成就都是实验中敏锐观察的结果。试剂的发明，正是他勤于观察、善于思考的结果。

如何能简便地测出溶液的酸碱性，曾让化学家大伤脑筋。一个突然的发明，却在不经意中悄然到来了。

波义耳最爱的花是紫罗兰花，他一直把这种花带在身边。1646年一天的上午，他把一束美丽的紫罗兰随手插在实验室的花瓶里，在实验室做着化学实验。实验中，不慎有几滴盐酸洒落到了紫罗兰的花瓣上。波义耳急忙用清水去冲洗，结果一个奇异的现象发生了：紫罗兰花突然变成了红色！

紫罗兰怎么会变成红色的呢？他感到十分好奇，也很兴奋。对这一现象，他没有轻易放过，一定要探根究底，搞个水落石出。他马上用硝酸、硫酸、醋酸等物质一一做对比，结果完全相同，紫罗兰花瓣遇酸都变成了红色。最后他认定，紫罗兰花的浸出液能检验溶液是否呈酸性，也就是说，可以当作化学试剂使用。

紫罗兰可以检测酸性，哪种花瓣可以检测碱性呢？初战告捷后，他并不满足，决心要找出检验酸碱性的最有效的物质，最好能找到一种试剂，既能测酸性，又能测碱性。

于是，他把能找到的花卉、药草、树皮、块茎、块根、苔藓、地衣等都找出来，制成浸出液，逐一进行试验，检测它们在酸性和碱性溶液中的反应。他最终发现，石蕊地衣的浸出液有最佳的检测效果：滴入盐酸溶液，与紫罗兰一样，石蕊浸出液变成了红色；滴入碱性溶液，石蕊浸出液呈现出蓝色。石蕊试剂遇碱变蓝，逢酸变红。这一特性，正是他苦苦找寻的双向指示剂所要具备的。

此后，石蕊试剂成为标配的化学用品，广泛应用于检验溶液的酸碱性。

波义耳作为一位伟大的科学家，他的发明创造远不止这一点。

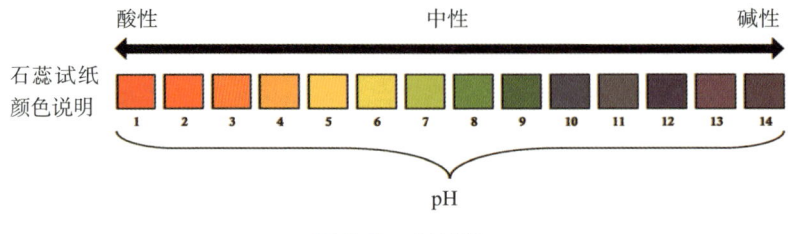

图 7-3　pH 试纸

他发现，五倍子水浸液和铁盐在一起，会生成一种不沉淀的黑色溶液，且久不褪色，方便用于书写。很快，这种墨水风靡一时，几乎用了整整一个世纪。

他在实验中发现，从硝酸银中沉淀出来的白色物质，如果暴露在空气中，就会变成黑色。根据这一原理，后来人们发现了广泛用于照相的感光技术。

1662 年，根据实验结果，他提出在密闭容器中的定量气体，在恒温下气体的压强和体积成反比关系。这被称为波义耳定律，是人类历史上第一个被发现的定律。凭借这一定律，波义耳奠定了他在科学史上的崇高地位。

有人问他，为什么能取得这么多的科学成就，他回答说："人之所以能效力于世界，莫过于在实验上勤下功夫。"

波义耳从紫罗兰花变色这个现象里，发现了自然奥秘，的确让人感到神奇而有趣。这种"无心插柳"的现象，之所以会产生，绝不是偶然的，而是因为波义耳有强烈的好奇心、敏锐的观察力、求真求实的科学态度,以及勇于探索、锲而不舍的钻研精神。

　　一个偶然的现象,在科学家敏锐的眼中,蕴藏着惊天秘密。这个看似平常又极易被忽视的细微变化,经过细致的科学观察研究,成就了一个伟大发现,成为科学史上的一段经典佳话。

发明效用转了弯

　　说到烧菜做饭,少不了厨房用具,21世纪的现代化家庭生活中,厨房用具的品类变得更加丰富繁多。如用来烧菜的不粘锅、加热食物的微波炉等,它们为家庭提供了极大方便。这些厨房用具,有的不是发明家、科学家特意发明的,却意料之外地进入了千家万户,解除了人们的烦恼,为现代生活增添了一抹美好的色彩。

　　解决了厨房大问题的不粘锅的发明,就是一个典型案例。在它被发明出来之前,人们一直为烧菜后需要刷锅感到头痛,尤其在一些饮食文化中有煎炒习惯的国家,如中国和东南亚地区的许多国家,刷锅不是一件快乐的事。这个麻烦的生活难题,最终被一位美国化学家和一对法国工程师夫妇在不经意间彻底解决了。

　　1938年,美国化学家罗伊·普朗克特正在为杜邦公司研制一种新型制冷剂。他选用了化学材料氯氟碳化合物。在研究中,他将一些装满四氟乙烯气体的储气罐塞在干冰里，以防气体受热发生爆炸。一段时间之后，普朗克特想使用这些气体，突然发现罐中的气体离奇消失了，可储气罐依然像装满气体一样的沉重。出于好奇，普朗克特锯开了储气罐，发现罐中果真没有了气体，只有一种白色蜡状的薄片从锯开的口子里掉了出来。

这些神秘的东西是什么呢？他丈二和尚摸不着头脑。但普朗克特是一个化学家，看到这个东西发生了变化，一定要弄个明白。通过实验研究，他的疑问很快有了结果，原来四氟乙烯气体在高压储存容器中，发生了聚合反应，容器内壁的铁成了催化剂。这种白色新物质，是化学反应后生成的润滑剂，熔点相当高，不怕热、不怕水、不怕酸，是一种真正的不粘材料。随后，化工业巨头杜邦公司看到这个新材料，马上申请了专利，以"Teflon"命名注册商标，从此"特氟龙"就诞生了。

如果故事只到此为止，特氟龙就只是一种新材料，主要用于制造军事装备，而距离走向民用，可能还有很长的时间，更不会轻易走进寻常百姓家的厨房。那么，最终是什么造就了我们今天的不粘锅呢？这该归功于一对法国夫妇。

1954年，法国工程师马克·格雷瓜尔的妻子柯莱特突发奇想，对丈夫说："你不觉得洗煎锅真是太麻烦了吗？到处油滋滋、黏糊糊的，把我的手都弄得脏脏的。你用来涂在钓鱼线上防止打结的'特氟龙'，不是不粘材料吗，如果涂在煎锅上，效果一定不错，说不定可以解决大麻烦呢？"

丈夫格雷瓜尔听了妻子的建议，觉得很有道理，马上开动脑筋，废寝忘食地研制将"特氟龙"与铝结合的办法。不久之后，

第7章
科学史上的"无心插柳"

世界上第一只涂了"特氟龙"涂层的不粘锅诞生了。从此,成千上万的家庭摆脱了烦人的洗锅痛苦。

"特氟龙"的发明及后来在厨房用具上的大量应用,可以说完全出乎发明者的意料,是真正的意外产物。它的诞生,与科学家原本设想的完全不同。"种瓜得豆",科学发明的乐趣,也许就在这无心之作上。

图7-4 不粘锅

微波炉的发明,与特氟龙不粘锅的发明相比,有异曲同工之妙。鲜为人知的是,微波炉是工程师珀西·斯宾塞"无心插柳柳成荫"的发明成果。

1946年,斯宾塞在麻省理工学院辐射实验室工作,研制功能强大的微波发射磁控管——一种用于雷达设备的真空管。一天,他站在一个测试模型前面,专心地做实验。突然,口袋中发出了"咝咝"的声音。他马上停下实验,摸了摸口袋,结果发现口袋中的一根巧克力棒居然融化了。斯宾塞是电子方面的天才,这一现象马上触发了他的灵感,他猜想可能是微波辐射烤化了巧克力。为了验证这个想法,他将一包玉米粒摆到了测试模型上,结果玉米很快被烤成了爆米花,炸得满屋子乱蹦。斯宾塞大为高兴,马上脑洞大开,觉得如果将这项技术用在烹饪上,一定会派上大用场。不久,世界上第一台微波炉就此诞生了。

图 7-5 微波炉

"失误"带来的新发明

日常生活中，人们难免会有这样那样的失误。一般而言，失误的发生会带来不良的后果，有的还会造成不可估量的损失。经常有人告诫：做事要小心，千万别犯错误；犯了错误要及时改正，防止错误造成更大的损失，等等。

从科学发展的历史上看，有些发明创造，恰恰是从一个小小的失误开始的，最终却获得了成功。

20 世纪 50 年代，美国布法罗大学助理教授威尔逊·格雷特巴赫的一次小失误，让他阴差阳错地发明了可植入式心脏起搏器，拯救了无数心脏病患者的生命。

当时，格雷特巴赫正在做一个实验，测试一个记录心跳的机器原型，要将一个1万兆欧的电阻器用

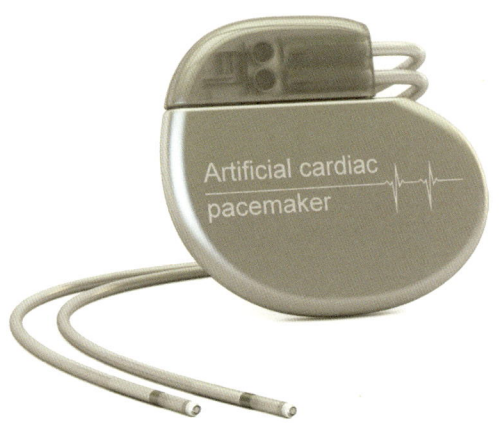

图 7-6　植入式心脏起搏器

在记录器上，但没料到，他随手从盒子中拿出来装在记录器上的，其实是一个1兆欧的电阻器。结果，记录器电路产生了一个持续1.8毫秒的信号，又中断了1秒钟，接着又重复出现了持续1.8毫秒的信号，周而复始，节奏如同人体的心跳。他敏感地意识到，这种电流能够调节心跳，治疗心脏病患者。

1960年，世界上第一个可植入式心脏起搏器，被成功地安装在了一名77岁老人的身上，这位患有严重心脏病的老人，安装了这一设备后，又幸运地多活了18个月。1985年，格雷特巴赫的"意外"发明被美国国家职业工程师学会评选为全球十个最伟大的工程学发明之一。

这样的例子还有很多。超能胶水的发明，也是因失误而产生的。

第二次世界大战期间，美国化学家哈里·库弗博士带领一个科学小组，试图调制出一种透明塑料，用来制造战斗机上的枪炮

瞄准器，结果实验失败了，他们调配研制出来的东西黏性太强，无论碰到什么都会死死粘住，根本无法实现最初目的。库弗博士认为这是一个令人痛苦的失败之作，就像"不慎将胶水粘在了自己手指上一样"。很快地，他就将这种东西抛于脑后了。

六年后，他负责一项飞机座舱盖的新设计，需要一种有强力黏合作用的胶水。这时，他突然想起了之前研究时发现的被认为毫无用处的东西。这种无需加热、黏性强的东西，正是他最需要的黏合剂。

图 7-7　万能胶水

他和实验室研究人员异常兴奋，在不同物体上测试这种黏合剂的性能，结果得到了确认，这种黏合剂竟然什么都能粘住，真可谓是"超能胶水"。

橡胶轮胎的发明，也有同样神奇的故事。在发明橡胶轮胎前，木头、铁等是车轮制作的主要材料，但是用这些材料制作的车轮十分笨重、易损坏，这种传统的车轮，难以满足正在兴起的运输业的迫切需要。

作为一种古老的材料，橡胶很早就为热带地区的先民所使用。那时，橡胶大都被作为黏合剂，但使用范围不是太广。因为橡胶虽然拥有良好的弹性，却有一个致命的缺点：对温度极其敏感，

图 7-8　轮胎

温度高了,它会变软变黏,而且还散发臭味;温度一低,就会变脆变硬。这一缺点,使得早期橡胶制品毫无市场,早期的橡胶工业,也无一例外地陷入了困境。

查尔斯·固特异是一个充满梦想的人,1800 年 11 月 29 日生于美国康涅狄格州的纽黑文。他的祖父、父亲都是爱好发明的机械工人,设计制造了一些实用小五金、家具等,由于经营有方,固特异家族在当地也一度小有名气。然而 1830 年,固特异家族因为经营不善,最终破产,固特异又接二连三地遭受不幸,陷入牢狱之灾。在监狱之中,固特异坚持自己的理想,发誓要成为一个发明家。

1834 年夏天,固特异参观了纽约的印第安橡胶公司,了解到橡胶的特性困扰着整个橡胶工业。橡胶具有弹性大、可塑性强、耐用、防水、绝缘等性能,是制成工业品的好材料。当务之急,是需要找到一种配方,对橡胶进行改性。从那时起,固特异便一头钻进去,一生致力于橡胶的研究与推广。

科学的背后

在工厂里，固特异与工人们一起劳作，用各种材料来做改性的试验，但是一直没有太大进展。1839年1月的一天，他正在做实验，由于没日没夜地工作，他极度劳累，不慎将一堆用硫黄、橡胶等拌成的原料，打翻在火炉之上，高温马上让这团原料燃烧起来。第二天，他回来一看，这团黑乎乎的东西，却有着与原来完全不同的性状。固特异最终确信，这种硫化过的橡胶，不会在沸点以下的任何温度分解。橡胶硫化技术问世了，一直困扰橡胶化工界的难题迎刃而解。

硫化技术让橡胶改性成功，使之成为一种适用性极好的工业原料，促成了橡胶产业的大发展，在运输、日常生活、医疗、军事等诸多领域，橡胶成为了世界性的重要物资。

令人遗憾的是，固特异并没有从这个发明中获得财富与荣耀，一直到临终之时，他依然生活窘迫。直到他去世后的第38年，

图 7-9 硫化橡胶的发明

第7章
科学史上的"无心插柳"

一位名叫弗兰克·克伯林的商人为了纪念固特异对橡胶产业做出的重大贡献，便把自己创建的轮胎橡胶公司命名为固特异。

1. 生活中有许多不引人注意的小事，可能会激起你的强烈兴趣，你会把这些事记录下来，去寻找解决办法吗？

2. 如果你做错了某件事，千万别后悔，认真反思一下全过程，或许新的思路就在下一个路口等着你！

第 8 章

破译发明的密码

人们对于发明创造，始终有着敬畏之心，认为这是极其困难的事，一般人难以企及。但是，人们也会发现，有些人创造发明的灵感始终是源源不断的，能够发现或发明一个又一个具有重大价值的事物，如牛顿、爱因斯坦等人，都有不止一项的重大发现，使他们成为了影响世界科学发展进程的伟人。爱迪生作为世界上第一个利用工业研究实验室来生产发明的人，产出了 2000 余项发明，包括至今依然对世人生活有影响的留声机、电影摄影机、钨丝灯泡等，他拥有专利数超过 2000 项，是名副其实的"发明大王"和有史以来最伟大的发明家之一。

人们不禁要问，这些巨量的创造发明背后有什么秘诀吗？如果破译了这个秘诀，是否每个人都可以成为发明家呢？这样的问题，看似可笑且幼稚，似乎不可能有一个答案。

世界上有这样的一个人，在这个领域进行不懈的努力和长期的科学研究，破解了发明创造现象的规律，寻找到了发明创造的秘诀，他就是根里奇·阿奇舒勒。

监狱里的科学研究

科学发明充满传奇色彩，一项伟大的发明可以让发明者获得崇高荣誉，那么科学发明有方法可循吗？如果找到发明的方法是否可以直达胜利彼岸？这样想的人肯定不少，但真正给出答案的只有一人，那就是根里奇·阿奇舒勒，一位"发现了科学发明秘诀的人"。

根里奇·阿奇舒勒创立了"发明问题解决理论（TRIZ）"，成功破译了创造发明的方法，成为科学史上的一个奇迹。

图 8-1　根里奇·阿奇舒勒

有人评论说，他是发明问题解决理论的创始人、创造性人格发展理论的创始人，还是工程师、发明家、作家，是真正的现代复合型人才。他的一生，充满着传奇色彩。

他 1926 年出生于苏联塔什干（今乌兹别克斯坦首都），父母是记者，有着良好的教育条件。在高中时，他就是一个品学兼优的学生，对科学有着非凡的兴趣，之后他如愿以偿考入了阿塞拜疆工业学院石油机械专业，接受严格的科学教育。但是，和平的日子很快被打破了。1944年2月,德国全面入侵苏联,刚刚进入大学一年级的他,自愿弃学从军,加入了保卫苏联的战争。战争结束后,他被派往巴库继续服兵役,就职于波罗的海军事侦察舰队,担任侦察队队长。

他从小就喜欢机械,喜欢专心致志琢磨机械原理,专心搞发明创造。他14岁时,就获得了自己的第一个专利。从此,他一发不可收拾,到1950年时,他拥有的发明专利已经超过10项,其中最重要的一项发明是密闭式保温潜水服,另外,还发明了带有火箭发动机的潜艇、火焰喷射手枪等,这与他喜欢的机械制造设计及军旅生涯有着密切关系。他的发明多用于军事,一直被列为军事机密,最后他被派遣到海军专利局工作。他不但自己发明,还经常帮助别人,他说:"我有责任帮助那些想进行发明创造的人。"

图8-2 阿奇舒勒生活照

第8章
破译发明的密码

有一次，几位同事走进他的办公室说："请您看一下这个问题，关于如何促成更多的发明创造，能否提个好建议？"他想了想，无奈地说："我解决不了，怎么办呢？"但是，他不是一个碰到难题就绕开走的人，为了回答同事的问题，阿奇舒勒一头钻进了图书馆，但查遍了所有的资料，也没有找到答案。他没有放弃，如果没有人总结出"发明创造法"，总要有人来做这件事。

他觉得，发明创造的过程，是一个积极思考探索的过程，应该有"秘诀"，或者称之为规律。是否有可遵循的方法，能够迅速地实现新的发明创造，从而解决难题呢？这样发明者如果了解并运用这些原理，发明就能水到渠成。

从1946年开始，他就专注于"发明问题解决理论"的研究工作。此后数十年中，他以毕生的精力致力于这一理论的研究与完善。

在他看来，任何领域的产品改进、技术变革和创新，都和生物系统一样，存在产生、生长、成熟、衰老、灭亡的过程。如果掌握了这些规律，能动地进行产品设计，就能预测产品未来的发展趋势，从发明的主题选择到问题解决，构建完善的路径，使人们获得有价值的创造发明。

正当阿奇舒勒专注于此，充满信心做研究时，风云突变，他无端入狱。事情是这样的："二战"结束后不久，苏联决定把从德国缴获的一个专利书库捐给美国，换回一批金属开采设备、印刷设备。听到这个消息，阿奇舒勒写了一封指名"斯大林同志亲启"的信，提出不同意见，并指出当时的苏联缺乏创新精神，发明创造处于混乱的状态，他坚信有一种理论可以帮助发明，能够带来可贵的成果。

阿奇舒勒很快被捕，被指控利用发明技术进行破坏，被判刑25年，发配到西伯利亚劳动改造。

之后，他每天伫立在冰冷的监狱里，望着窗外皑皑白雪和连绵的群山，忍受着人生的重大挫折，他不断地进行思考。"我的想法那么重要，为什么别人没有意识到呢？"

一段时间后，他认清了形势环境的险恶一时难以改变，内心反而平静下来了。他适应环境变化，用智慧有效地保护自己，继续开展发明创造方法理论的研究。这段非比寻常的人生经历，让监狱变成了他的研究与实践场所，也证明了他非凡的聪明才智。

他因拒绝签署认罪书，而被定为审讯对象，被整夜审讯，白天也不允许睡觉。他从烟盒上撕下两片纸，用烧过的火柴头在每片纸上画一个黑眼珠，将两片"纸眼珠"粘在闭着的眼睛上。他就端正地坐着，正对着牢房门的窥视孔，安然入睡。审讯者觉得很奇怪，为什么每天审讯他，他还那么精神？他用自己的智慧，度过了监狱里的艰难生活。

后来，阿奇舒勒又被送到西伯利亚古拉格，这是一个集中营式的劳改农场。由于要进行高强度劳动，忍受寒冷、饥饿，以及严刑拷打，不少人都在这里死去。当时，他每天必须工作12个小时，这样繁重的劳动，实在难以坚持下去。"是继续工作，还是拒绝工作而被监禁起来？哪种情况会更好些？"他认真思考后，选择被监禁起来，与罪犯关在一起。在监狱里，他给囚犯们讲故事，赢得了好感，获得了一份宝贵的生存希望。

当时，在古拉格，关押着很多知识分子，不少人都悲观消沉，

第8章
破译发明的密码

绝望至极。看到这一切，阿奇舒勒就想方设法，找到一条燃起人们求生意志的路——开办"一个学生的大学"。他每天用10多个小时，挨个去找这些满腹经纶但意志消沉的知识分子，让他们给自己讲解专业知识。在一次次讲课和传授知识的过程中，这些知识分子重新获得了尊严与自我价值，也重新燃起了生活热情。

不久，他又被派到瓦库塔煤矿工作。矿区里的人，不相信这个年轻人可以帮助他们解决问题。可是，每一次他提出的解决方案，总能解决问题，因而也获得了大家的认可。大家对这个聪明的"新矿工"开始刮目相看了。

幸运的是，在斯大林去世后，阿奇舒勒被提前释放了。

出狱后的阿奇舒勒，迅速将被关押时所学所思的东西写出来，专心致志地研究创造发明的问题。1956年，他与沙佩罗合作，《发明创造心理学》一文在《心理学问题》上正式发表。

当时心理学家都认为，发明是由偶然顿悟产生的，源于突然产生的思想火花。阿奇舒勒推翻这一认知，认为发明创造有规律可循，即"发明问题解决理论"。拉丁文为"Teoriya Resheniya Izobreatatelskikh Zadatch"，缩写TRIZ。英文为"Theory of Inventive Problem Solving"，缩写为TIPS。他认为，技术系统按照一定的客观规律发展，如系统协调性法则、模式化条件的改变等，把这些规律应用于发明问题，可以找到发明的路径。

从1946年开始到1998年，他不断完善TRIZ，这个理论渐渐被世人认可，被世界各国公认为技术系统发展的规律。

神奇的发明术

阿奇舒勒曾对 20 多万份发明专利进行了认真研究，发现这些发明专利虽然数目庞大，但都有一个共同点，即应用了实际上数目不多的一般性原理。就像社会系统通过解决矛盾而得到发展一样，技术系统进化也遵循一定的模式，其发展在一定限度内是可预测的。于是，他认真归纳总结，提出了 40 个发明原理，涵盖了创新发明的各个领域。

表 8-1　TRIZ 40 个基本原理

#	TRIZ 40 个基本原理	#	
1	分割原理	21	快速原理
2	抽取原理	22	变害为利原理
3	局部质量原理	23	反馈原理
4	非对称原理	24	中介原理
5	组合合并原理	25	自服务原理
6	多元性原理	26	复制原理
7	嵌套原理	27	替代原理
8	重量补偿原理	28	机械系统替代原理
9	预先反作用原理	29	压力原理
10	预先作用原理	30	柔化原理
11	预置防范原理	31	孔化原理
12	等势原理	32	色彩原理
13	反向作用原理	33	同化原理
14	曲线曲面化原理	34	自生自弃原理
15	动态原理	35	性能转换原理
16	部分超越原理	36	相变原理
17	多维运作原理	37	热膨胀原理
18	机械振动原理	38	逐级氧化原理
19	周期性动作原理	39	惰性环境原理
20	有效动作持续原理	40	复合材料原理

如分割原理，是把整体进行分割，从而产生许多新思路，创造许多新事物。这个原理包含几种变式：它可以把一个物体分成相互独立的部分，例如为不同材料（玻璃、纸、铁罐等）再回收设置的发明；也可以是将物体分成容易组装和拆卸的部分，像组合家具的发明；还可以通过提高物体的可分性完成发明创造，例如用百叶窗替代整体窗帘的发明，也是应用了这一原理。

还有组合合并原理，应用这个原理，可以在空间上将相同物体或相关操作加以组合。如发明集成电路板上的多个电子芯片、并行计算机的多个 CPU 以及多功能家居设计等；也可以在使用时间上将相同或相关操作进行合并，如发明冷热水混合龙头等。

这种关于发明的原理还有很多，如抽取原理、局部质量原理、非对称原理、多元性原理等，仔细想一想，生活中的许多发明成果都是依照这样的原理创造出来的。

正因如此，阿奇舒勒才自信满满地说："你可以等待 100 年获得顿悟，也可以运用这些原理在 15 分钟内解决问题。"

TRIZ 建立了技术发展进化的模式，建立了一个由解决技术问题来实现创新开发的综合理论体系，使创新走出了盲目、高成本试错和灵光一现式的偶然。整个设计与开发过程，不再是随机的行动。

1961 年，阿奇舒勒写出了《如何学会发明》一书，他要求人们改变传统观念中相信天生的发明家的看法，并提出实际上每一个人都可以成为发明家。

然而故事并没有想象中那么顺利。他向苏联最高专利机构苏联发明创造者联合会（VOIR）写信，要求召开专题研讨会，研究

科学的背后

图8-3　科学发明

发明理论。不料，这一过程一拖就是9年。但是，他毫不气馁，连续写了上百封信后，终于等到正式的答复。

1968年12月，在阿塞拜疆举办了关于发明方法的研讨会。这是TRIZ研究的第一个研讨会，一大批年轻工程师汇聚于此，听取阿奇舒勒的研究报告。随后，这些年轻人回去后，又在各地开办了大批TRIZ学校，邀请他去进行专题培训。从此，TRIZ真正被社会认可。

1969年，阿奇舒勒出版《创新算法》一书，完整地介绍了40个发明原理，提供了用来解决复杂问题的完整创新法则。1970年，他建立了青年发明家学校。1971年，学校改成了阿塞拜疆发明创新社会学院，成为世界上的第一个TRIZ学习中心。在20世纪80年代的苏联各地，各类发明创新学校数量超过了500所。

阿奇舒勒始终没有停止对这一理论的研究与完善。1973年，他把"物场分析"引入到解决发明问题的实践中，1974年，他的课程被拍成了纪录片《发明算法》。1975年，他公布了解决发明问题的标准解法。之后，还出版了《哇……发明家诞生了》一书，系统介绍了TRIZ教学经验。

阿奇舒勒的发明创造方法研究，受到同行的充分肯定。安格林是苏联的一位发明家，用试错法发明了许多东西，获得了40项专利，在当地颇有影响。一次，他参加了TRIZ研讨会，整个会议期间，他都沉默不语，散会后，他仍旧不肯离开，独坐在桌边，双手捂住头，极其痛苦地说："我浪费了多少时光啊！要是早些知道TRIZ，该有多好啊！"

1989年，苏联TRIZ协会成立，阿奇舒勒毫无悬念地担任了第一届协会主席。TRIZ方法作为大学专业技术必修科目，广泛应用于工程领域。苏联解体后，大批TRIZ研究者移居国外，TRIZ流传于西方，受到极大重视，TRIZ研究与实践得以迅速普及和发展。

到目前为止，TRIZ仍被认为是解决发明问题、实现技术创新的最全面、系统的理论，被称为"超级发明术"。

授人以鱼或渔

《淮南子》中有一名言："授人以鱼，不如授人以渔。"是说向人传授现成的知识，不如传授学习知识的方法。因为一条鱼能解一时之饥，却不能解日久之饥，如果想永远有鱼吃，那就要学会捕获鱼的方法。

发明创造也是如此。如果停留在一事一物上，没掌握创造发明的方法，发明之路就会越走越窄，创新效果会越来越差。阿奇舒勒作为一个发明家，不仅亲自参与发明，更重要的是，他还跳出界外，站在更高的层次上，分析研究发明创造的规律，找到发明创造的共性原理，让创造发明的秘诀变得清晰可见。

TRIZ 同一般意义上的头脑风暴不同，它建立在科学和数学算法的基础上，对可能性进行深度分析，是发明创新规律的总结。它为那些不像达尔文或爱因斯坦一样具备天赋的人们，开发组合出一套详细的创新方法，提供了一套分析问题、提出方案的精细复杂的系统，也帮助企业解决了产品开发中的难题。世界各国都把这一理论奉为圭臬。

近些年来，世界各国纷纷开展 TRIZ 研究和应用。全球已应用 TRIZ 的原理和规则创新发明了 200 多万件专利。许多世界级的大公司在技术产品创新中研究和应用 TRIZ，并获得了许多创新成功的优秀案例。

由于 TRIZ 能够引导人们科学地运用不同行业创造发明的成果，舍去大量试验工作量。它可以增加 80%—100% 的专利数量，或显著提高专利质量；可以提高 60%—70% 的新产品开发效率；可以缩短 50% 的产品上市时间；工程技术人员的培养与成长期可缩短一半以上。

如今，TRIZ 这个雪球已经越滚越大。密歇根大学教授、精细生产技术专家杰弗里·莱克将 TRIZ 看作"见缝插针"的工具，能为企业提供更丰裕的回报。发明创造是快乐的,也是令人敬慕的,真正掌握了发明创造的方法的人,将是最后真正的赢家!

1. 阿奇舒勒提出的40个原理,你能分别找到对应的发明吗?

2. 按照这些原理,观察研究后进行设计,看看自己能否有新的发明创造。

第9章

发明『错』了的东西

一般而言，发明创造能给人们带来惊喜。发明创造是人类想象力的表现，寄寓着人们对未来的一种期望或向往。正因为人类期待走得更快，走得更远，负担更重的物品，才从设法利用畜力开始，不断发明创造，先发明了车轮、马车，之后又发明了汽车、火车、飞机等，把空间距离极大地缩短拉近，完成了人类自身不能实现的梦想。为了拥有更加便捷自在的生活，提高生活的质量，人们发明了电话、电视、冰箱、空调等家用电器。为了提高生产力水平，人们又大力发明各种机械设备，建成各种桥梁、道路等。科学技术成了人类文明发展的最强大动力。

然而科学发明具有不可确定的复杂性，历史文化、个人性格及外部环境的影响，也会让科学研究走上歧路。有的发明创造在当时是好的，对社会进步是有益的，后来环境发生变化，却出现了难以预见的后果。

事实上，科学研究与发明创造，一直在质疑中成长。伪科学也会与科学同行，有时甚至会乔装打扮，迷惑公众。有的科学家过于追求探索秘密以满足好奇，对于创造发明的后果缺少考量，或者缺乏社会责任感，或者被一些别有用心的人组织利用，导致了历史性的悲剧。当一些科学成果成为发明"错"了的东西，就会给人类自身带来巨大的损害。

杀人武器与军事科研

2017年8月21日,特斯拉CEO埃隆·马斯克、谷歌DeepMind联合创始人穆斯塔法·苏莱曼等116名机器人学家、人工智能专家联合致信联合国,呼吁对自动化武器展开严格监督。签署这封公开信的高管们一致认为,自动化机器人武器等同于杀人机器。这封公开信描述了机器人武器的风险,认为它们可能遭到滥用,瞄准无辜民众,引发严重后果。他们呼吁,将机器人武器添加到《禁止或限制使用特定常规武器公约》中,采取严格的限制措施。

图 9-1 杀人机器

科学家的行动绝非偶然,初衷是对科技发展未来的担忧,是科学家社会责任的体现。

科学的背后

"人类有文字记载的历史,基本上是一部战争史。"战争是文明史的重要话题。《战争论》描述,自公元前3500年,定居民族与游牧民族为争夺生存空间展开争斗时起,人类走过的每一步,都是血色的足迹。从冷兵器到热兵器,再到高科技战争;从地区冲突、国内战争,到国家间乃至世界范围的大战,战争阴影一直笼罩着人类。人类历史上,战争呈现出各种各样的形态:有的以时长著称,如英法两国之间的"百年战争",从1337年起开始,历时116年,人员伤亡惨重,双方国力大损;有的以惨烈闻名,历史上的秦赵长平之战,赵军40多万人战死。最为惨烈的第二次世界大战,是人类史上最大规模的战争,从欧洲到亚洲,从大西洋到太平洋,有61个国家和地区、20亿以上人口被卷入战争,伤亡7000余万人,损失达5万多亿美元。历史上几乎所有的战争场面,都是横尸遍野,生命如草芥般被践踏。

图 9-2　第二次世界大战期间的诺曼底登陆

第9章

发明"错"了的东西

1941年,德军围困列宁格勒(今圣彼得堡)长达900天,缺水断粮,炮火连天,100多万人因饥饿和炮火而丧生。德国军事学家克劳塞维茨说过,"战争无非是政治通过另一种手段的延续。"战争伴随着人类历史前进。统计表明,从公元前3200年到公元1964年这5000多年间,世界各地共发生战争14513次,只有329年是和平的;这些战争共使得36.4亿人丧生,还有大量人员受伤。战争造成的损失折合成黄金,可以铺成一条宽150千米、厚10米、环绕地球一周的金带。

在残酷的战争背后,有正义与非正义,有侵略与反抗,军事以其强大的国家机器背景,成了科技发明的重要领域,大批高精尖的技术,最先都在军事上被创造研究出来,最后转到民用领域,服务普通公众。而人类相互屠杀的工具,就是不断更新换代的武器。武器被发明与创造,成为可怕的杀人机器,成为科学与技术发展的一大污点。一代又一代武器,威力更大,射程更远,杀伤力更强,让战争成为新技术的试验场,成为武器杀人的合法地。

马克沁机枪的发明,就是一个血腥的例子。1884年,美国工程师马克沁利用火药气体后坐原理,实现单管枪的自动连续射击,制造出世界上第一支自动连续射击的机枪。1916年7月1日,在索姆河,装备了MG08式马克沁

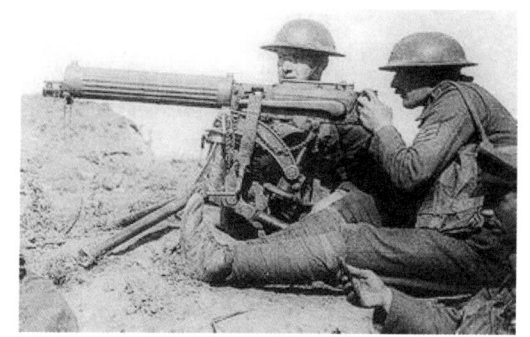

图9-3 马克沁机枪

重机枪的德军，打死 6 万名英军，这一天也成为第一次世界大战中死亡人数最多的一天。据估计，"一战"中机枪造成的伤亡高达 550 万人。马克沁机枪成为战争史上杀人最多的常规武器。

人类从赤手空拳搏斗开始，到利用木棍树枝、刀剑弓弩，再到依靠机器搏杀，发明了无数的武器。其中最让人类感到恐惧的就是原子弹了。它从诞生之日起，就成为人类的噩梦。

1945 年，经过太平洋西部的硫磺岛、冲绳等海岛上激烈的搏杀，美军伤亡人员大增，考虑到日本会负隅抵抗，美军决定向日本投放两颗刚刚生产出来的原子弹，以尽早结束战争。8 月 6 日，美军在广岛投掷了第一颗原子弹，靠近爆炸中心的大多数人当场死亡，更多的人被烧伤，强烈的光波使成千上万人双目失明，高温把城市的一切都化为灰烬。这颗威力巨大的原子弹的爆炸，强烈震慑了日本军国主义势力，大大加速了战争进程。

核武器的发明及在战争中的使用，因其破坏力巨大，引起了世人强烈的恐核心理。核反应与一般化学炸药（如三硝基甲苯 TNT）爆炸时释放的能量不一样。1 千克铀全部裂变释放的能量约 8.5×10^{13} 焦耳，比 1 千克 TNT 炸药爆炸释放的能量 4.19×10^6 焦耳约大 2000 万倍。原子弹的爆炸，释放能量巨大，具备强冲击波、光辐射、早期核辐射、放射性污染、核电磁脉冲等杀伤性破坏作用。氢弹被称为热核武器，以氘、氚和氘化锂 -6 等为热核材料，通过核聚变反应，爆炸威力更大，比原子弹大几百倍到上千倍。中子弹则裂变成分非常小，聚变成分非常大，冲击波、核辐射效应很弱，中子流极强，能做到"杀人而不毁物"。

冷战时期的苏美两大阵营，拥有可以毁灭地球几百次的核武

第9章

发明"错"了的东西

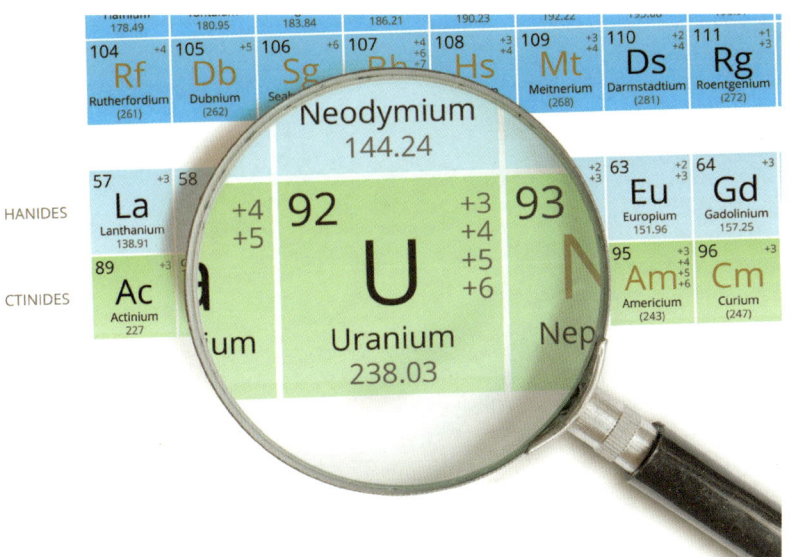

图 9-4 铀元素

器,引起了世界极大恐慌,人们反对战争、需要和平的呼声日益强烈。环保组织、和平人士积极倡导,一些知名科学家率先行动,开展了席卷全球的反核和平运动。1977年7月,在西班牙毕尔巴鄂发生反核能示威,人数达20万人。1979年,美国三里岛核泄漏事故之后,纽约也举行了一场反核示威。1981年,德国发生10万人的反核游行,抗议布罗克多夫核电站建设。1982年6月12日,纽约爆发了100万人的游行示威,成为最大规模的反核示威活动。1983年,大约60万名抗议者在西柏林反对核武器。在切尔诺贝利核事故之后,1986年5月,意大利罗马有约20万人参加示威。

  由反对核武器到抵制核能,表明人们对于核技术潜在的危险性有了进一步的认识。在联合国主导下,世界各国积极开展消除

图 9-5 反核示威活动

核武器谈判。2017 年 7 月 7 日，联合国发布了《禁止核武器条约》，并且该条约在 2021 年 1 月 22 日生效。

不可否认，科学在军事领域的研究与运用，是多方面的，除了武器以外，许多发明创造都在军事领域率先获得运用，如医疗技术、通信技术、工程技术等，影响最大的，要数大家熟悉的电子邮件了。这一技术的发明者雷·汤姆林森，在美国国防部下属的 BBN 公司从事计算机研究工作。

图 9-6 无核区标志

1971 年，他首次提出以电子的方式从一个网络向另一个网络发送信息的设想，发出了世界上第一封电子邮件，并开创性地在邮箱地址中使用 "@" 符号以区分收件人名字和电脑的名称。电子邮件后来被广泛运用到公众领域，开创了通信时代的一场伟大革命。

救命药成了生物杀手

有一些发明创造，最初被认为能够造福人类，最终却酿成了严重的灾难。杀虫剂 DDT（双对氯苯基三氯乙烷）就是最典型的一项发明案例。

1939 年，瑞士化学家保罗·赫尔曼·米勒合成了高效有机杀虫剂 DDT，并广泛应用于农业、畜牧业、林业和卫生保健领域，米勒因此于 1948 年获得了诺贝尔生理学及医学奖，受到了农业、医学等领域的热捧。DDT 这种化学制剂，在控制疫病、杀死有害昆虫等方面，显示了神奇的功效。但是，在短短几十年后，它就成为了倍受争议的一项发明，甚至陷入被彻底抛弃的境地。这一案例，经常被用来提示人们警惕科技这把双刃剑，甚至成为诺尔贝奖项的一个污点。

在农业生产中最重要的问题之一，就是如何除去大量繁殖、吞食作物的昆虫。截至 21 世纪初，人类已知昆虫有 100 余万种，

科学的背后

图9-7 农药喷洒

有许多是对人类有害的,有的还是传染病的重要源头。后来米勒制成了杀虫效力极高的DDT。把DDT喷洒在门窗上,能长时间保持杀虫效力。

　　DDT的发明,标志着一代新型人工合成杀虫剂的诞生。它在消灭粮食、果树、蔬菜等作物的害虫方面有着显著效力,成为最常用的杀虫剂,一跃成为"农民的新宠"。它有效地消除了病虫害,农业获得大幅度增收,20世纪50年代以来,全世界约有500万人因此免于饿死。从这个角度看,DDT的功劳确实不小。

　　让DDT声名鹊起的,还包括它在抑制疟疾、伤寒等疾病方面的传奇经历。1943年10月,英法美盟军攻占了意大利,随着冬天来临,在那不勒斯的一些城镇开始流行斑疹伤寒。由于战时医疗卫生条件差,为了防止大规模的疾病传播,盟军当局作出决定,让军人和老百姓喷洒消毒剂杀菌,选用的药物正是杀虫效果极佳的 DDT。果然三周之内,虱子死了,斑疹伤寒也绝迹了。1945 年,美军占领日本后,也如法炮制,

图 9-8　DDT 喷洒

有效遏止了流行病的暴发。这两次高效应对疾病流行的措施,让 DDT 美名远扬。同时,在防治由节肢动物传播的疾病方面,DDT 也有极佳表现。在地中海沿岸、印度、东南亚等地区,开始大量使用该药物,防治疟蚊,取得了显著功效。世界卫生组织评价说:"单从疟疾病来看,DDT 可能拯救了 5000 万人的生命。"这一"救命药"的发明人米勒,毫无争议地站上了诺贝尔奖的领奖台,获得科学界的最高褒奖。

然而,坏消息也接踵而来。一些动物在吃了喷洒了 DDT 的植物后,其体内积累了化学成分,并通过食物链传递下去。食物链越往后,取食者储存的 DDT 剂量就越多。在自然界所有动物中,鸟类首当其冲成为最大的受害者,它们从吃下的昆虫那里吸收了DDT,产下的蛋壳变薄,容易破碎,幼鸟死亡率大增。1988 年,科学家对美国佛罗里达州阿波普卡湖区的鸟类进行检测,发现受DDT 的影响,当地鸟类蛋的孵化率从通常的 70% 锐减到 20%。

更为严重的是,人类也成了 DDT 的残害对象。DDT 进入人体后,主要在含脂肪的组织器官内积累,产生的急性症状表现为

科学的背后

头痛、感觉异常、肌无力、震颤等，而慢性DDT中毒则可造成肝损害或脑功能紊乱等。科学家发现，残留的DDT甚至影响了人类代谢过程和男性发育，在一些产妇的乳汁中也含有DDT成分。由于DDT在自然环境下很难降解，所以释放出去的DDT不会轻易地消失。在南极洲，科研人员在海豹、企鹅等动物体内，也找到了DDT成分；甚至生活在人迹罕至的北冰洋的海豹和一些高纬度地区的蛙类体内，也存在DDT成分。

这一现象引起了人们的高度关注。美国作家、环境保护运动先驱蕾切尔·卡逊女士率先行动，她写了《寂静的春天》一书，描述了遭受DDT破坏的场景："现在美国越来越多的地方，已没有鸟儿飞来报春。清晨早起，原先到处可以听到鸟儿美妙的歌声，现在却异常寂静。鸟儿的歌声突然沉寂了，鸟儿给予这个世界的色彩、美丽和乐趣，因某些地方尚未感受其作用而被忽视，以至现在鸟儿悄然绝迹。"她警告世人："我们允许这些化学药物的使用，却很少或完全没有对它在土壤、水、野生物和人类自己身上所产生的效果方面进行调查。我们的后代未必乐意宽恕我们为了保护负担着全部生命的自然界的完美所带来的过失。"

虽然这一发明有过巨大贡献，但是人们最终有了明确态度：彻底抛弃DDT，禁止使用杀虫剂。美

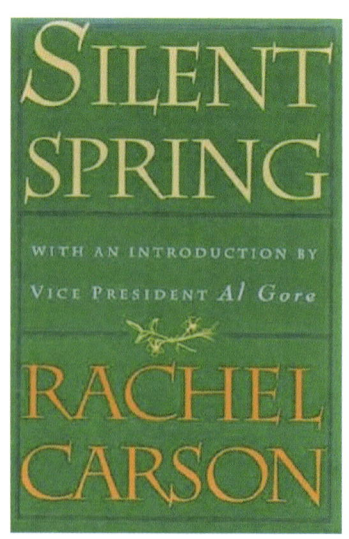

图9-9 《寂静的春天》（英文版）

国宣布于 1973 年 1 月 1 日起禁止使用 DDT，欧洲许多国家也相继效仿。中国于 1983 年停止生产、1984 年停止使用 DDT。

　　一项获得了诺贝尔奖，在农业、医学等领域发挥过重大作用的科学发明，最终被证实会给动物、生态环境以及人类自身带来损害，因此被各国禁止使用，成为科学史上"极其严重的悲哀事件"。虽然发明者没有预料，也不希望出现这样的结局，但科技是一把双刃剑，任何一项重大的发明创造，都需要对社会负责，对自然负责，对后代负责，谨慎、谨慎、再谨慎，切不可"好心办坏事"，玷污了科学的美好名声。

令人爱恨交加的塑料袋

　　说到发明带来的负面影响，有的可能还局限在特定领域之中，有的却直接影响了人类的生活。这些发明创造与人们的生活紧密相关，一开始给人们带来了极大方便，受到人们的普遍喜爱。然而恰恰是这样受人喜欢的发明，却造成了严重的生态环境问题。塑料袋就是典型案例，这一"白色污染"，被评为"20 世纪人类最糟糕的发明"。

　　19 世纪 50 年代，化学家帕克斯把胶棉与樟脑混合做试验，结果很有意思，产生了一种可弯曲的硬材料。帕克斯把它称为"帕克辛",那便是最早的塑料。塑料很轻,加热就能使它变软,随心所欲地做成各种形状的东西。塑料制品色彩鲜艳、重量轻、不怕摔,经济耐用,给生活带来了方便,它一经问世就受到了公众喜爱。帕克斯用"帕克辛"制作出了各类物品,如梳子、笔、纽扣、珠宝饰品等。

到了20世纪,塑料的用途得到更大范围的拓展,家庭用品、食品包装都可以用塑料制造。20世纪30年代,尼龙问世,它被称为"由煤炭、空气和水合成,比蜘蛛丝细,比钢铁坚硬,优于丝绸的纤维"。塑料作为一种全新材料,已经完全融入生活的各个方面,成为与人类息息相关的日用品,为人们带来了极大的便利。

1902年,奥地利科学家马克斯·舒施尼发明了一种包装物。这种包装物既轻便又结实,可称得上是一场材料革新。因其具

图9-10　塑料制品

有廉价、重量极轻、容量大、便于收纳的优点，很快被广泛使用，成为家庭日常生活中必不可少的物品。

作为一个化学家，舒施尼在发明这个物品

图 9-11　随处可见的塑料袋

时已经意识到，塑料制品有一个极大的缺陷，即不能在自然界很快降解，如果公众大量使用，会带来不可逆转的环境污染危害。他主动向老板提出，在找到可降解方法之前，不可以让塑料袋上市。但是，在利益的驱使下，老板违背了诺言，把这个尚欠成熟的发明推向了市场。

舒施尼是一位有强烈社会责任感的工程师，为了捍卫自己的尊严，他选择了自杀。

潘多拉盒子一旦打开，就再也合不上了。舒施尼的担忧，很快得到证实，塑料袋发明的成功与失败一样，令人感到震惊。塑料袋发明不到 100 年，但人们不得不为处理它给环境带来的危害而煞费苦心。

塑料是从石油或煤炭中提取的化学产品，一旦生产出来，很难自然降解，处理这些白色垃圾，目前的方法只能是挖土填埋或高温焚烧，而这两项技术都不是环保的方式。资料表明，塑料袋埋在地里，至少需要 200 年以上才能降解，并且严重污染和毒化土壤。塑料废弃物填埋在地下，会破坏土壤的通透性，造成土壤板结，影响植物生长。废塑料制品混杂在土壤中，会影响农作物吸收养分，导致农作物减产。而焚烧塑料所产生的有害烟尘和有毒气体，会对大气环境造成污染。

更致命的是，由于塑料的薄透性特点，它经常被用于包装食品等，容易让家畜误食，导致家畜因消化道梗阻而死亡。在青海草原地区，羊喜欢吃塑料袋中夹裹着的油性残留物，常常连塑料袋一起吃下去，由于塑料袋滞留胃中难以消化，这些羊只能被活活胀死。塑料袋进入水体或海洋中则后果更严重，它看起来很像浮游生物，被大型鱼类、鲸类、海龟等海洋动物吞食后也会导致动物死亡，此类事件已经频频发生。

图9-12　海洋塑料对动物的伤害

塑料袋还会散落在城市街道、旅游景区、公路周边等地，随风飘舞，造成"视觉污染"。全世界塑料年产量数据庞大，废弃塑料在垃圾中的比例占到40%。

科学家担心，地球已经变成了"塑料星球"，塑料微粒会流入

第9章
发明"错"了的东西

土地、河流、高山、海洋,进入生物体内,造成更大的危害。

2009年9月10日,科学家组织了一次"斯克里普斯环境塑料积聚远征(SEAPLEX)的科考之旅",专门考察加利福尼亚州与夏威夷间海域的"塑料漩涡"。在这片广阔的海域,大量塑料瓶盖、塑料袋、绝缘材料、塑料芯片等漂浮在海面上,形成了一个相当于两个得克萨斯州面积的巨型"塑料漩涡"。这些空瓶、塑料袋等,都是人们日常废弃的塑料制品,漂流进海洋,最终和一部分其他垃圾一起,形成了一座巨大的"垃圾岛"。这座漂浮在北太平洋上的"垃圾岛",80%都是废弃的塑料制品,重量达350万吨。在蓝色的海洋上面,散发着腐烂的臭气,污染着周边的水体。人们不但没去清理,而且还在不断扩大它的体积,使其成为蓝色海洋中一块"令人恶心的空间"。

艰难的"禁塑"战争

人们目前解决白色污染,主要是采用回收利用和降解相结合的办法。工业包装膜、商品包装袋(膜)若使用后较干净,应作为主要回收利用对象,分类收集再生利用,这在国内外都有许多成功经验。而对于那些量大、分散、脏乱、难于收集或再生利用经济效益甚微的一次性塑料包装袋,则应该使用可降解塑料生产。

科学的背后

　　1989年，美国近半数的州开始禁止使用塑料袋，禁止所有不能分解和不能还原处理的食品塑料包装袋上市。意大利则规定每生产一只塑料袋就要交税，商店每卖一个塑料袋，也要交相应的税。爱尔兰政府也开始征收塑料袋税，每个塑料袋9便士。印度马哈拉施特拉邦从1998年起，对乱扔、乱用、乱发塑料袋者，最高可判5年监禁，并处10万卢比的罚款。2008年，中国开始实行"限塑令"，在所有超市、商场、集贸市场等商品零售场所实行塑料购物袋有偿使用制度，一律不得免费提供塑料购物袋，并在全国范围内禁止生产、销售、使用厚度小于0.025毫米的塑料购物袋。2016年，法国开始全面禁用塑料袋，用可降解袋和可堆肥袋代替一次性塑料袋。2017年，肯尼亚通过法令，生产、销

图9-13　海洋塑料

售和使用塑料袋,将被判处四年有期徒刑或罚款4万美元。这被网民称为有史以来最严格的限塑令。

目前,已有140多个国家开始限塑,有的完全禁止使用,

图9-14 沙滩上的塑料

有的限制使用,有的对一次性塑料袋进行征税。联合国海洋污染专家称,按照目前投放海洋垃圾的频率和数量,到2050年,海洋中塑料会比鱼还多。从实际情况看,限塑令效果并不理想,原因包括法律监管不到位,以及人们过于依赖塑料制成的日用品,无法轻易改变消费习惯。禁而不止,成了执法难的痛点。

面对滚滚而来的白色污染,世界主要国家的政府部门、科研机构以及社会组织也在转变思路,寻找更加有效的办法,遏制势头蔓延。科学家开展科技攻关:有的研制可以多次使用的包装材料、工具;有的从制造材料入手,用能够快速降解的材料替代塑料制品,推广无纺布、纸质材料等;有的从塑料改性方面入手,通过改变塑料属性,缩短其降解时间,提高降解程度。

一名叫阿史沃斯·赫奇的印度人,发明了可降解、可食用的"塑料袋",他甚至可以抓起"塑料袋",沾了点水后直接微笑着把它吞下去。印度环保部邀请他到芒格洛尔投资,成立了一家公司,每月生产1000吨可食用的"塑料袋"。虽然他们生产的"塑料袋"成本比一般的塑料袋高出35%,但社会效益十分显著。

科学的背后

图9-15 垃圾污染

中国科学院上海有机化学研究所黄正课题组与加州大学尔湾分校管治斌课题组合作，在聚乙烯废塑料降解研究中获重大突破。他们利用交叉烷烃复分解催化原理，使用低碳烷烃作为反应试剂和溶剂，通过与聚乙烯发生重组反应，有效降低聚乙烯的分子量和分子长度。在反应体系中低碳烷烃过量存在，可多次参与聚乙烯的重组反应，把聚乙烯降解为清洁柴油。专家认为：这种技术可以降解几乎所有类型的聚乙烯，兼容商业级别聚乙烯中的各种添加剂，适用于实际生活中多种聚乙烯废塑料。这一成果，为未来解决"白色污染"的资源化利用问题开辟了一个新的思路。

地球是人类目前赖以生存的唯一空间，爱护地球，保护地球，是每个人的责任。任何发明创造，目的都是让人类更好地生活，

第9章
发明"错"了的东西

让地球更加美好。任何损害地球的行为,不管是出于什么目的,都是被人们谴责,为人所唾弃的。

1. 环境保护人人有责,你平时是如何做的呢?
2. 科学发明也会带来弊端,你怎么看这件事?

第10章

科学与人文比翼齐飞

长大了是当科学家,研究工程和技术,还是学文学、学艺术,成为作家、画家、设计师呢?许多青少年在成长过程中都会遇到这个问题,因为事关个人的成长或事业发展,有时大家甚至会对此感到有些迷惘困惑。事实上,作为人类认识世界、了解世界的不同方式,科学与人文两者相辅相成,各显所长,更多的时候,是比翼齐飞的。

众所周知,科学是人们对于客观世界的认识,是反映客观事实和规律的知识,表现为科学研究、科学知识两种形式。爱因斯坦说:"如果把哲学理解为在最普遍和最广泛的形式中对知识的追求,那么哲学显然就可以被认为是全部科学之母。"达尔文说:"科学就是整理事实,以便从中得出普遍规律或结论。"科学强调研究方法、对象、结论的客观特征,因此客观性、真理性、系统性就成为科学的重要属性。区别于人类有关自然万物客观认知的知识体系,艺术或人文强调了人体的感觉,有着充满激情的主观感受,与科学的客观、冷静、理性形成了互补,交相辉映。科学和人文都是人类智慧的集中体现。

第10章
科学与人文比翼齐飞

大力弘扬科学精神

2002年6月29日,《中华人民共和国科学技术普及法》颁布,这是世界上第一部关于科学普及的法律,该法适用于普及科学技术知识、倡导科学方法、传播科学思想、弘扬科学精神的活动。2016年,国务院为落实《全民科学素质行动计划纲要》,制定了《中国公民科学素质基准》,提出"公民具备基本科学素质一般指了解必要的科学技术知识,掌握基本的科学方法,树立科学思想,崇尚科学精神,并具有一定的应用它们处理实际问题、参与公共事务的能力。"与科学知识一样,科学思想、方法、精神等,都是科学普及的重要内容,是对公民科学素质的具体要求。

党的十九大报告将科学普及工作纳入国家文化建设工程之中,提出"弘扬科学精神,普及科学知识"的要求。这不同于以往的新表述,突出了弘扬科学精神在文化建设中的重要作用,进一步阐明了新时代科学精神与科学普及的内在关系。

一般而言,科学知识、科学方法比较具体,科学精神、科学思想等比较抽象。正确理解科学精神、科学思想,应该从科学自身特点入手。一方面,要采取正确态度对待科学,从而相信科学、学习科学、运用科学,掌握科学的方法、技术等,去研究分析客观世界;另一方面,在理解、应对生产或生活中出现的各种问题、处理公共事务时,要能采用客观、全面、理性的态度,以妥善的方式、方法去处理和应对。

科学的背后

什么是科学精神？是独立思考、勇于质疑的精神。科学精神要求人们对世界万物有一种客观全面的认识，体现为一种实证精神。社会学创始人孔德认为，"实证"就是与虚幻相反的真实、与无用相对立的有用、与犹疑相对立的肯定、与模糊对立的精确。科学作为一种知识体系，客观真实是其一切理论的基础。一切健全的思辨和智慧，都是为了改善个人或集体的现实状况；任何知识体系的形成与确立，都必须在真实而确定的基础之上，不会引起争论和疑惑。客观性、真理性、系统性，是科学的基本特点，也是科学精神的重要基础。

在中国，20世纪初轰轰烈烈的新文化运动，陈独秀等人率先提出了"德先生""赛先生"的观点，开展关于科学精神的系统论述与探讨。一大批留学欧美、倡导科学文化的青年人，对科学精神抱有强烈的信任，心中怀有在中国发展科学，振兴国家的远大理想。

1916年，科学启蒙者、中国科学社创办人任鸿隽发表《科学精神论》，认为科学精神是一种为了追求科学真理而不畏任何艰难坎坷，甚至可以牺牲自己生命的精神。现代科学传播的初始时代，对于科学精神的理解，体现了"科学救国"的理想与激情。

图 10-1　中国气象学家、地理学家竺可桢

1941年，浙江大学校长、气象学家竺可桢发表《科学之方法与精神》，描述了他心目中的科学精神：

第 10 章
科学与人文比翼齐飞

"一是不盲从,不附和,以理智为依归;如遇横逆之境遇,则不屈不挠,不畏强御;只问是非,不计利害。二是虚怀若谷,不武断,不蛮横。三是专心一致,实事求是,不作无病之呻吟,严谨整饬,毫不苟且。"在外敌入侵、国难当头的特殊时期,这种解释,寄寓了科学精神以更深的内涵,将国家民族命运与科学精神相联系。

科学精神从本质看,体现在如何开展科学研究、如何研究世界两个方面,是科学研究态度的体现。科学精神集中体现在探索、怀疑、实证、理性、创新、宽容等概念中,体现在进行科学研究时应持有的态度上。要求尊重客观事实,大胆探索、求真求实,绝不能弄虚作假;要在继承中发展,敢于怀疑、不迷信权威,勇于创新发展。

科学与人文相结合

科学与人文是认识世界的不同方式,两者有联系,也有区别。科学研究自然世界规律,强调客观真实,判定事物时有明晰而准确的标准;人文关注人的自主特性,强调个性自由发展,更少受到条条框框的制约。科学脱胎于哲学之中,与人类理性、逻辑思维紧密相关,也与人文同根同源。人文丰富的想象、浪漫情怀与创造力为科学提供了养料,使科学获得了成长空间;而科学运用理性思维的特质，及时矫正人文的偏差，为人文的发展提供实验的依据。

人文精神包含三方面含义：首先是人性，即对人的幸福和尊严的追求；其次是理性，人能够思考真理、追求真理；最后是超越性，人是有灵魂的，可以追问、追求生命的意义。人文精神摒弃了封建社会对个人价值的漠视，把人作为宇宙间最高价值来尊重，肯定人在世上独一无二的价值和意义。在人文精神的召唤下，独立个性得到充分彰显。莎士比亚借哈姆雷特之口，发出对人的最高赞美："人类是多么了不起的杰作！多么高贵的理性！多么伟大的力量！多么优美的仪表！多么文雅的举动！在行为上多么像一个天使！在智慧上多么像一个天神！宇宙的精华！万物的灵长！"这一段话曾经风靡一时，成为反抗神权最有力的呼声，彰显了人文主义的伟大价值。

图 10-2　莎士比亚

在文艺复兴时代，科学是人文的一部分，从事科学观测与研究，是人文主义者热衷的社会活动。科学作为中世纪宗教的对立面，成为最引人关注、最有力的思想武器。科学强调客观性与实验结果，反对宗教主观臆想；强调实用价值和现世享用，反抗神权主导的寄托于来世的观念。在那个时代，科学成为反对封建迷信的锐利武器。宗教裁判所对哥白尼、布鲁诺、伽利略等一大批科学家的疯狂迫害和生命摧残,说明了科学在反对宗教过程中,起着极为重要的作用,是人文主义取得胜利的重要前提。

科学像一盏明灯,驱散了整个中世纪的黑暗,给人们以前进的勇气与力量;人文思想和精神,像一颗明星,指引着人们前进的方向。在人类精神世界中,科学、艺术、人文应该是一个整体,闪烁着不同光芒。提倡科学和人文结合,科学与艺术结合,能使精神世界更加完整,既有理性光辉,又有感性张扬。科学与人文比翼双飞,人类不会迷失前进的方向,不会折断梦想的翅膀。

"两弹一星元勋"周光召提出:"纯粹的科学和艺术,是人类文化宝库中最具创造力和最有价值的部分。科学和艺术以各自不同的角度认识世界。"在他看来,科学与艺术在内容和表现形式上虽然不同,但都是对"真善美"

图 10-3　周光召

进行不懈追求所产生的智慧结晶。在科学史上,出现过大批科学与人文并重的巨匠,如国外的达·芬奇、亚里士多德、爱因斯坦等,如中国的张衡、沈括、徐光启、苏步青、袁隆平等,他们在科学领域功勋卓著,在文学、音乐、绘画、诗词等方面,同样才华横溢。在他们身上,科学与艺术成就相映生辉,成为科学与人文结合的典范。

随着科学的日益发展,特别是人工智能、外太空探测、转基因技术、基因重组等科研的深入开展,社会上出现了对科学进行反思的呼声。

　　人文关注主体，富于浪漫与温情，它关注人，关注的是情感变化与体验，寻找蕴藏其中的美感。科学关注客体，严谨、理性而冷峻，它也关注人、研究人，更多的是把人作为一个研究对象，寻找内在的规律。科学因为追求真实、精确、准确，更多的是定量的分析研究；而人文追求自由、个体、开放的精神，充满了艺术化、多元化的因素。人文站在科学的对岸，感性地看待实验，审视发明创造带来的巨大改变，批判非人性化的生存现象。而科学更加理性，警惕追求自由的盲目崇拜，阻止人类因此而迷失方向、误入歧途。

　　正因如此，科学与人文，作为人类精神世界表达的不同途径、不同形态、不同思维方式，存在着互补性，需要彼此关照，共同构建完整的人类文化。如果只有科学，没有"诗和远方"，人生将变得毫无乐趣；如果一味沉溺于幻想之中，放浪个性，缺乏理性与秩序，将迷失前进的方向和目标。

　　美国的布劳德和韦德在《背叛真理的人们》中写道："科学家获得新知识，并不单纯靠逻辑性和客观性，巧辩、宣传、个人成见之类的非理性因素也起了作用……科学家并不全靠理性思维，而理性思维也不是他们所垄断的。科学不应被视为社会中理性的卫士，而只是其文化表达的一种重要方式。"科学发现的过程，同样需要激情和想象，一个没有激情和想象的科学家，是难以产生巨大成就的。不少科学家坦言，从事科学研究，有时不仅仅是因为它真实，更重要的是因为它美，对美的追求，让他们产生了探索的兴趣和勇气。

第10章 科学与人文比翼齐飞

科学发明创造，正如钢琴家创作一首乐曲，画家创作一幅画，都是立足于激情，只是表现的形式不同而已。科学与艺术同根同源，科学创造发明与艺术创造，是对于真善美的共同追求，有着异曲同工之妙。

建设新时期科学文化

科学起源于西方，根植于西方文化之中，在与中华文明的接触碰撞中，对中国传统文化产生了重大影响。当下，科技是第一生产力，发展科学技术是国家富强、人民幸福的关键，这些已成为共识。人们在享受科技带来的乐趣、物质带来的满足时，科学文化建设也引起了人们的深思和重视。

从1992年开始至2018年，中国科协先后开展了十次全国公民科学素质的抽样调查，我国公民科学素质一直处于较低水平。2005年全世界大约30多个国家进行了公民科学素质的抽样调查，结果显示不同国家具有科学素质的公民所占国家总人口的比例，其中瑞典高达35％，占世界第一位；第二位美国，达到28％；大部分欧盟发达国家都在15％以上；中国公民具有科学素质的比例仅为1.6％，差距十分明显。近十年来，国家重视科技教育与传播，加强科学普及，公民科学素质水平有大幅提升。2020年我国公民科学素质水平为 10.56%，有了大幅提升。

公民的科学素质水平是一个国家创新发展的重要社会基础，是一个国家科技综合实力的标志。公民科学素质水平的高低，直接影响到一个国家的科技创新能力。我国公民科学素质整体水平不高，与建设世界科技强国的目标要求差距很大，存在很大的提升空间。

研究表明，一个国家或地区公民科学素质的高低，与该地区经济发展、教育水平、科学普及、传统文化等因素有关，而整个社会的科学文化建设，是至关重要的因素。李约瑟对于中国古代科技高度发达，却在近代变得落后感到困惑，发出了著名的"李约瑟之问"。因此进行科学传播，建设科学文化，显得尤其重要。

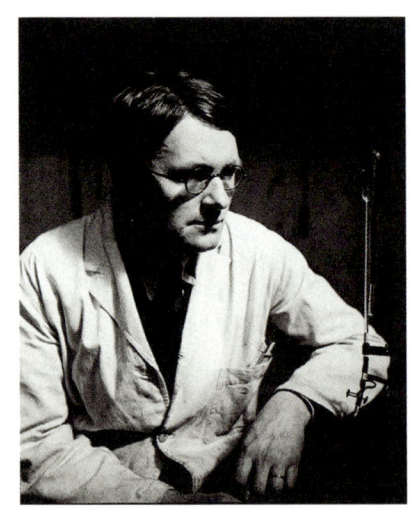

图 10-4　李约瑟

只重视学习应用性、技术性的专业，轻视基础理论和人文学科，容易出现智商高而德行低的现象；只关注理论学习，不注重实际能力的培训，容易出现知识多而能力差的现象。"知书"而"不识礼"，遇到困难和挫折，心理脆弱，逃避现实，容易走向极端，培养出来的往往是"单向度的人"。改变教育理念，加强科技与人文教育，实现科学精神与人文精神的统一，构建完整的现代人的精神世界，才能真正实现人的全面发展。

导致公民科学素质不高的一个重要原因，是部分公民接受教育年限不足。尤其我国农村地区的青年人，普遍缺乏系统的科学知识教育，科学学习理解能力不足，学科学、用科学的兴趣不浓，公民科学素质水平不高，缺乏改变落后面貌的能力。在农村地区、经济不发达地区，缺乏环境保护、动物保护的意识，对自然资源、土地资源、矿产资源开采和利用没有节制，自然生态破坏、水污染、环境污染等问题严重；部分地方信息封闭，致使民众缺乏对外部世界、对人生的正确态度。

科学与技术关系密切，也有区别。混淆科学与技术的概念，容易产生片面理解。基础科学研究能力不强，缺乏创新性成果，缺乏领军人物，缺乏世界领先的科研成果。这一点从我们获得诺贝尔奖人数少可以看出，反观日本，在近20年内，几乎年年都有科学家获得这一世界公认的科学研究大奖。而美国则长期居于科技发展第一方阵，是当今世界的科技强国。一般的科研机构研究缺乏领军人物，依然是跟随性质的科研，重复性科研，甚至片面追求论文数量等，科研方向与评判标准陷入了误区，严重损害了科研人员的积极性，特别是基础学科研究人员的积极性与创造力。

新时代新征程，迫切需要新文化。科学文化建设是新时代的重要组成部分，应自觉承担社会责任，有效推进全社会科学文化建设，提高公民科学素质水平，为建设世界科技强国做出贡献。

让科学回归理性

科学到底是什么？科学能带来所有吗？人们对科学的期待是无限的吗？

图10-5 《鼠疫》（法文版）

1947年，法国作家、哲学家阿尔贝·加缪出版了一本小说《鼠疫》，讲述了这样一个故事：阿尔及利亚的奥兰发生瘟疫，整座城市被重重封锁，无人能够自由进出。而政客利用灾难来获取利益，商人兜售各种禁品发财，社会一片混乱，人们面临着死亡威胁，绝望至极，恐怖至极。在一片混乱中，作品的主人公里厄医生帮助城里的人们渡过了难关，战胜瘟疫，迎来新生。小说中，医生代表科学，在巨大的灾难面前，发挥了作用，拯救了濒临死亡的生命，给活着的人以信心与勇气。

科学是一个建立在可检验的解释之上的，且能对客观事物的形式、组织等进行预测的有序的知识系统。它量化的统计、计算及严格的逻辑推理，有利于人们认清事实，找到解决问题的办法，有效应对危机。而宗教注重人文关怀，从人性出发，给人以希望与未来的幸福，让绝望者从心理上得到安慰，重拾前进的勇气与信心。

科学家认为，好奇心能推动科学研究的开展，科研成功使好奇得到满足，产生一种获得感。现代科学迅速发展，导致科学研究高度专业化、职业化，让公众远离了科学，科学成了由少数精英从事的神秘领域。如果任由一部分人玩神秘游戏，多数人却对其浑然不知，是极其危险的。

2021年世界兴起的"元宇宙"概念是基于现代网络技术进行的虚拟空间与现实的深度融合。脸书的创始人甚至将公司改名为"Meta"，并连带炒作了不少股票。但是，中国首位雨果奖获得者刘慈欣则怒斥了元宇宙，认为它是人类文明的一次"内卷"，最后会导致人类灭亡。理由是，如果元宇宙技术被推广普及，生活在物质世界的人们，必将不可抗拒地渐渐转向虚拟无形的世界。如毒品一样让人难以自拔，一旦经历过那样脱离现实的虚拟生活，再有意志力的人也无力再回到现实世界里。

科技发展有无限可能，也激发了人类想象力，但面对未来的科技，依然应该有科学理性的态度、信念和责任。若一路狂奔，未来科技会让人迷失方向。

20世纪中后期，英国开始提倡"公众理解科学"，对科学进行反思。在科研目的、巨额公共财政的投入金额、不断发展的科学进展，以及科研人员人格、品质、行为等方面，公众有权知道真相，并进行监督，以帮助科学与社会和谐发展。

"公众理解科学"是指让公众客观地、公正地认识科学、理解科学。认识科学的巨大创造力，对于人类文明进步起到了巨大作用。引导公众理性对待科学，不能迷信科学，让科学背上"万能者"

的包袱，承担不应该担负的责任。科学不是万能的，科学也有边界。相信科学能解决一切问题，本身就是对科学的迷信，也是不正确的。科学不会去研究、探讨自然界不存在的东西，如神灵、鬼怪，也永远不会轻易判定事物是"一定"或"绝对"的。所有的知识都是"到此为止有效"，不会轻易对没有出现或未知的事作预测结论。一旦出现新的情况，有了新的结论，就要及时修正原来的假设或者理论。科学是对"有形世界"的研究，需要不断经历求证、验证以及纠错、改正的过程。

由此可见，"公众理解科学"，不只是理解科学知识原理，也表明公众有权理解和了解科学研究的社会价值、经济效能，才能够有效监督科学进程，以促进科学发展更好地服务人类、服务社会，这才是对待科学的正确态度。

1. 你还知道哪些科学家有着极高的人文情趣？他们都有哪些方面的成就？

2. 你更喜欢科学还是人文，你会努力让自己向着两者兼备的方向发展吗？